JN013261

の研究

綿野恵太

筑摩書房

「逆張り」の研究

まえがき

逆張りくんによる「逆張り」の研究

二〇二二年四月、朝日新聞の記者からメールが届いた。「「逆張り」について三人の識者に意見を聞いています。取材させてほしい」というものだった。「逆張り」について記者はこんなふうに説明していた。

もともと「逆張り」は相場の流れに逆らって売買する投資手法のことだ。たとえば、株式市場で株価が低いときに買って、高いときに売る。だが、最近はインターネットでよく見られる「良識を嘲笑(あざわら)うような意見や、常識的にはありえない主張」を指す言葉として使われている。「つきましては、綿野さんに「逆張り」だとレッテルを貼る側にも問題はないのか、というテーマで取材させてほしい」という依頼だった。

まず思ったのは、「あれ？　これ、ぼくが逆張りする側の人間だと思われている？」ということだった。「逆張りとレッテルを貼る側」の問題点を指摘するのだから、逆張りする側なのだろう。逆張りというスラングがあることは知っていたのだが、正直なところ、自分のことだと思っていなかったので、けっこうショックだった。

朝日新聞だし、記事全体の方向性としては逆張りに否定的な感じになる、と予測がついた。とはいえ、インタビューを受ける三人全員が「逆張り」を否定すると、それはそれで記事がかたよってしまう。ぼくには「逆張り」肯定派として取材がきたわけだから、ほかの二人はおそらく「逆張り」否定派だろう。つまり、「逆張り」を特集した記事の「逆張り」担当として呼ばれたわけか……。

逆張りについての記事は絶対に炎上する、と思った。新聞記事がネットに転載されると、どうも扇情的な見出しがつけられる。いまの時代、文章を書く仕事には炎上がつきものだ。けれども、新聞の場合、取材した記事の内容を事前にチェックさせてもらえないこともある。自分のコントロールできないところで、炎上して叩かれたらいややなあ……と思って、申し訳ないが取材をお断りしたのだった。実際、その逆張り特集の記事が公開されると、やはりネットで話題になっていた。

しかし、取材を断ったあとも、モヤモヤしたものが残り続けた。『「差別はいけない」とみんな言うけれど。』や『みんな政治でバカになる』といった奇を衒（てら）ったタイトルを付けるのが、よくないのかなあ、とまず思った。ただ、お読みになった読者はおわかりだと思うが、どちらの本も「常識」的なことしか書いていない。むしろ、常識っぽいことしか書けないのが、最近の仕事の悩みだったので、「逆張り」する側の人間だと思われているという、そのイメージのギャップにあらためてびっくりした。

そういえば、むかしチェッカーズの『ギザギザハートの子守唄』の替え歌をして、「ちっちゃな頃から逆張りで、15で批評と呼ばれたよ」とツイッターに投稿したところ、哲学者の千葉雅也さんが面白がってくれたことがあった。たまたま記者がそれを目にして、ぼくに取材が来たのかもしれない……などなどぼくのところに依頼が来た理由をモヤモヤと考え続けていた。

この一部始終をブログに書いたところ、今度は知り合いの編集者から「逆張りについて本を書きませんか」というメールが来たのだった。「また逆張りかよ」と正直うんざりした。しかし、そのとき突然思い出したのだ。一〇年前に自分が「逆張りくん」とからかわれたことを。

ぼくは太田出版という出版社で編集者として働いていた。その元社長だった高瀬幸途さんから「きみは逆張りくんだねえ」とからかわれたのである（高瀬さんは二〇一九年に亡くなられた）。ぼくはまだ働き始めたばかりで、新宿荒木町のジンギスカン屋で開いてもらった歓迎会の席だった。高校生のころから柄谷行人や蓮實重彥の批評を読んで、修士論文では一九六八年の学生運動における聖書学者の田川建三について調べました……と、みずからの思想遍歴を話したところ、高瀬さんに「逆張りくんだねえ」と言われたのである。

　高瀬さんはいわゆる全共闘世代だった。一九六八年の学生運動に参加していて、ある「過激派」で活動していた。そのことは公表されていたし、ぼくも知っていた。だから、「一九六八年の学生運動に興味があるなんて、いまどきめずらしい若者だね」という意味で、親しみをこめつつ、からかったのだ、とぼくは思っていた。「逆張りくん」と呼ばれて、いやな気持ちはしなかった。というか、ちょっと嬉しい感じもあった。いまみたいに「逆張り」に悪いイメージはなかったのだ。

　このことを思い出して、「逆張り」について調べてみようかな、と興味が湧いてきた。なぜ最初の取材依頼のときに思い出さなかったのか。自分でも不思議なのだけど、悪い意味の「逆張り」呼ばわりされたショックが大きかったせいかもしれない。

　さっきの朝日新聞の記事では、三省堂国語辞典の編集にたずさわる飯間浩明さんに取材している。飯間さんによれば、二〇一四年に刊行した辞典（第七版）で「逆張り」が初めて収録されたという。「だれも価値をみとめないことを、〔いい機会だと思って〕あえてすること」と説明されている。ぼくが太田出版で働き始めたのは二〇一三年だから、時期的に一致する。つまり、この一〇年で「逆張り」のイメージがどんどん悪くなったわけだ。

朝日新聞の記者は「逆張り」について「良識を嘲笑うような意見や、常識的にはありえない主張」と説明していた。インターネットでは確かにそんなふうに使われている。たとえば、「逆張り冷笑おじさん」というネットスラングがある。政治運動に否定的で、デモに参加する人々を嘲笑する中年男性のことだ。マイノリティ運動や人権思想を冷笑する「ネトウヨ」(ネット右翼)も「逆張り」と呼ばれる。

だが、どうも当てはまらないケースもある。「逆張りオタク」という言い方がある。たとえば、『鬼滅の刃』など大ヒットした作品をつまらないと否定したり、「クソゲー」や「クソアニメ」といった一般的な評価の低い作品を面白がったりするオタクのことを指すらしい。つまり、流行に乗らない態度も「逆張り」と言われるようなのだ。

さらにはこんな例もある。政権に反対する野党のことを「逆張り野党」と呼ぶ人がいる。常識や流行も関係ない。非難すること、異議を唱えることが「逆張り」呼ばわりされている。なかには「朝日新聞は逆張りしかしない」と言っている「ネトウヨ」っぽい人もいて、さすがにこれはちょっと笑ってしまった。

逆張りは基本的に悪口や罵倒として使われている。もしくは自分をネタにするときの自虐的な言葉となっている。マイナスのイメージは共通している。とはいえ、そもそもスラングなので、はっきりした定義があるわけではない。逆張りを考えるためには、実際に使われている言葉を見ていくしかない。

そのほかにも「逆張り炎上屋」「逆張り商売」「逆張り芸人」「逆張りは空気が読めない」「逆張りは厨二病」「逆張りのしすぎで一線を超えてしまう」「○○の逆張りをしておけば正解」……などなどネットで見かけた「逆張り」のついた言葉を片っ端から集めてみた。しかし、これだけではどうも材料が足りない気がしていた。

それでいろいろ考えてみた。世間では「逆張り」と「逆張り」特集の記事の「逆張り」担当に指名されるぐらいだから、ぼくは「逆張り」とイメージされている。自覚していないが、本当に「逆張り」なのかもしれない。だったら、ぼくの考えをそのまま書けば「逆張り」をする人間の興味深い生態が明らかになるはずだ。

また、「逆張り」は悪口や罵倒として用いられている。だとしたら、ぼくがこれまで頂戴した悪口や罵倒も「逆張り」を考える大きなヒントになるかもしれない。実際、ぼくの文章を一文字も読んでいない人に「冷笑主義（シニシズム）」と言われたことがある。記憶のある範囲でざっと書き出してみる。

「冷笑主義」
「半笑いで書いている」
「目の前の問題からメタレベルに逃げている」
「どっちもどっち論」

「相対主義」
「安全圏からものを言っている」
「傍観者」
「若くして老いた怠惰な知性」
「若き老害」
「社会で、街で、路上で、実際に起こっていることを、知るべき」
「観念を弄ぶだけの空虚な本」
「言葉遊び」
「読者を勇気付けない」
「90年代以降の日本の思想・批評の界隈が陥ったダメポモ（ダメなポストモダン）」
「権力への抵抗を放棄した体たらくな批評家」
「本のタイトルが釣り」
「目立ちたいだけ」
「嫉妬しているから批判している」

たしかにいろいろヒントがある。「冷笑主義」は一番わかりやすい。「逆張り冷笑おじさん」とセットで使われる。では、逆張りと冷笑主義はどこが共通して、どこがちがうのか。「どっちもどっち論」「安全圏からものを言っている」「傍観者」なども、政治運動に熱心なリベラルがネットでよく使う言葉だ。また「批評」や「ポストモダン」思想はたしかに逆張り的なところがあるし、逆張りは「承認欲求」のため、「目立ちたい」せいだともよく言われる。

そして、なにより悪口や罵倒には自分が否定したい価値観が込められるものだ。逆張りについて考えることは、その反対に、逆張りを嫌うひとたちの大切な価値観を考えることでもある。逆張りが急速に嫌われた時代の変化も振り返ることができる。

さて、お恥ずかしながら、同業の書き手たちにくらべて、ぼくにはあまり思考の瞬発力がない。なので、「逆張りとは○○である」とわかりやすく断言できない。逆張りをする人間にも、逆張りを嫌う人間にも言い分がある。それぞれの主張に対して、ぼく自身が「わかる」ところ、「わからない」ところを確かめながら、書き進めた。読者のみなさんも、ぼくの文章をそのまま鵜呑みにせずに、いろいろと考えながら、読み進めてほしい。

では、「逆張り」の研究をはじめよう。といっても、論文なんかではなくてエッセイだけど。本書は、逆張りくんとからかわれ、逆張り特集の逆張り担当に指名された、逆張り当事者による逆張りの研究である。逆張りの、逆張りによる、逆張りのための研究である。

「逆張り」の研究＊目次

第2章

「どっちもどっち」の相対主義と「この道しかない」の絶対主義

同じところで同じ情報がぐるぐる回っている

第3章

「昨日の敵は、今日の友」

アンチと「アンチのアンチ」の戦争

第4章 「ブーメランが突き刺さっている」

アンチ・リベラルの論法

第5章

「他人からええように思われたいだけや」

動機を際限なく詮索するシニシズム

第6章

「そこまで言って委員会」

インターネット学級会とネトウヨになりかけたTくん

第7章

「やっぱり東野圭吾が一番」

逆張りとしての批評

第8章

「脳をつつけば世界はガラリと変わって見える」

はるしにゃんとケミカルな唯物論

第9章 逆張りは多数派の敵でありつつ、友でなければならない

本書で扱う罵倒や悪口は、誤字脱字や文章の乱れがあったり、特定の文脈や状況で言われたり、書かれたりしたものなので、そのままでは意味が取りにくいため、なるべく原文の勢いを生かしつつ、わかりやすくするためにこちらで再構成しています。また、本書に登場する個人的なエピソードも、ぼくの記憶が正しいかぎり、嘘偽りのない真実ですが、無用な特定によって迷惑をかけることを防ぐために、一部の事実関係を変更しています。ご了承ください。

第1章

「成功したければ逆張りをしろ」

投資家と注意経済の時代

瀧本哲史とピーター・ティール

「逆張り」ぎらいの時代である。「逆張り」はすっかり罵倒語になってしまった。しかし、なぜ、ここまで嫌われたのだろう？「逆張りくん」とからかわれたとき、いやな気持ちはしなかった（いま言われたら、ブチギレると思うが）。たしかに記憶をさかのぼっても、「逆張り」という言葉にそこまで否定的なニュアンスは感じないのだ。

大学の卒業が迫って、将来をどうするかを迷っていたころ、めちゃくちゃ売れていたビジネス書があった。瀧本哲史『僕は君たちに武器を配りたい』である。二〇一二年のビジネス書大賞を受賞して、ベストセラーになった。瀧本氏は投資家として活動しながら、京都大学で起業セミナーをおこなっていた。瀧本氏がすすめるのは、投資家＝逆張り的な生き方である。

すでに説明したとおり、逆張りは相場の流れに逆らって売買する手法のことだ。株価が下落したときに買って、上昇したときに売る（その反対に、株価が上昇したときに買い、下落したときに売ることは「順張り」である）。たとえば、「投資の神様」と呼ばれるウォーレン・バフェットは逆張り（コントラリアン）で知られている。二〇〇九年のリーマンショックでは、経営危機に陥った資産運用会社ゴールドマン・サックスに巨額の投資をして、莫大な利益をあげた。

『僕は君たちに武器を配りたい』では、投資家＝逆張り的な生き方が、過酷な市場競争を生き残るための「武器」とされる。それは実際にお金を投資するわけではない。たとえば、就職活動では人気企業に就職してはいけない、とされる。競争が激しく、代わりの人材がたくさんいるからだ。どれほど優秀であっても、安く買い叩かれてしまう。ではなく、人気はないがこれからの成長に期待できる企業に就職すべきだ、と。つまり、投資家＝逆張り的な生き方とは、多くの人が行く道とは逆の道に進んで、その道に自分の才能や努力を投資することなのだ。

ペイパルの創業者であり投資家として知られる、ピーター・ティール氏も投資家＝逆張り的な生き方をすすめている。ティール氏は社員の採用面接で「賛成する人がほとんどいない、大切な真実はなんだろう？」と聞くそうだ。多くの人が信じる「常識」の裏に隠された「逆説的な真実」を発見すること。そして、「逆説的な真実」を少数精鋭の仲間たちと共にテクノロジーを通じて実現すること。このような逆張りがビジネスを成功させる秘訣だとされる（『ゼロ・トゥ・ワン』、ちなみに日本語訳の解説は瀧本哲史氏）。

実際、ビジネス書の多くは「逆張り」を肯定的な意味で使っている。

「逆張りの経営術」
「逆張りの企業戦略」
「逆張り人生」
「成功したければ、逆張りをしろ」

なぜビジネスにおいて逆張りが重要とされるのか。それは、「逆張り」がほかの商品と差異化するために最も効果的な方法だからである。あらゆる商品は一般化すると、市場価値がなくなっていく。「価格を安くする」とか「機能を改善する」といったちょっとしたちがいはすぐに真似される。「逆張り」はこれまでなかった商品やサービスを生み出す方法である。いまふうに言いかえると、競争が激しい市場＝「レッドオーシャン」ではなく、競争相手のいない市場＝「ブルーオーシャン」を開拓せよ、ということだ。

瀧本さんによれば、資本主義には「自分の少数意見が将来、多数意見になれば報酬を得られる」という仕組みがある。そのために未来の多数派が支持する「逆説的な真実」をいち早く発見すること。これが投資家＝逆張り的な生き方には重要となる。そのためには普段の訓練が欠かせない。たとえば、何か意見を聞いたとき、その逆を考える習慣をつける、ニュースの裏を読む、業界の常識とは反対のことをリストアップする、誰もが見放した人を手助けする……などなどだ。そして、みずからが発見した「逆説的な真実」を、いち早く商品やサービスにすることで、市場の支持を集めていくわけである。

「逆張り」という言葉が広がった背景には投資が身近になったことや、スタートアップ企業など起業ブームがある。もちろん、投資家＝逆張り的に生きれば、かならず成功するわけではない。「生存者バイアス」（多数の敗北者には目を向けず、一部の成功者に注目して判断を誤る傾向）の可能性がある。しかし、逆張り＝投資家的な生き方が多くの若者に希望を与えたのも事実である。

いま振り返ると、『僕は君たちに武器を配りたい』（二〇一一年九月刊）がベストセラーになった背景に、当時の就職内定率の悪さがあったように思う。それまで上昇していた大卒就職内定率は、リーマンショックが起きた二〇〇九年に減少に転じて、東日本大震災と福島第一原発事故が起こった二〇一一年には九一％まで落ち込んでいる。正社員で就職した若者を使い潰す大企業が「ブラック企業」と批判された時代である

（「ブラック企業」は二〇一三年に流行語大賞受賞）。

就職先が決まらない大学生たち。たとえ正社員になれたとしても、過酷な労働環境が待っている。そんな若者らにたいして、「レッドオーシャンに就職するな。ブルーオーシャンを探せ、起業しろ」と勇気づけたわけである。しかも、投資家＝逆張り的な生き方は将来のある若者にしかできない。市場が成長してリターンが返ってくるまでに、寿命が尽きては意味がないからだ。

『僕は君たちに武器を配りたい』はぼくの実家の本棚にもある。瀧本哲史さんの著書はどこの本屋でも並んでいたからだ。とはいえ、ぼくは働きたくない人間だったので、買ったはいいが読まなかった。今回あらためて読んでみて、いろいろと思うところがある。たとえば、「逆張り」という投資手法がぼくたちの生き方の指針になるのは、どこか耐えがたい感じがする。新自由主義において個人はみずからのマネジメントや投資をおこなう「企業家」とみなされる。みずからの人的資本を投資する戦略が「逆張り」というわけだ。とはいえ、ぼくのような感想はやはり少数派だろう。

しかし、そのいっぽうで、「言論」や「批評」もやはり逆張り的なのだと気づかされた。いま見たように投資家的な「逆張り」とは「将来、多数意見になる少数意見」のことだ。当然ながら、社会の多数派が認める「常識」や「良識」が正しいとはかぎらない。アカデミズムにおいて、これまでの学説をくつがえす新発見は絶賛される。

ジャーナリズムでも、時代を先駆ける進歩的な意見が喜ばれる。いずれも「将来、多数意見になる少数意見」である。

そう考えると、あなたがいま読んでいる本も「逆張り」的である。言論も商品だからだ。いま書店に並んでいる本（市場の商品）と比べて、どういうちがいを出すのか。たとえ常識に反する少数意見であっても、多くの読者に支持されてベストセラーになれば逆張りの成功である。だから、出版社で働き始めたときに「きみは逆張りくんだねえ」といわれて、ちょっと嬉しく感じたのは間違ってなかったのだ。しかし、このような投資家的な意味の「逆張り」はあまり使われなくなっている。

注意経済（アテンション・エコノミー）

ぼくの知り合いに「バーチャル・ユーチューバー（Vtuber）」の会社を起業した後輩がいる。「バーチャル・ユーチューバー」とは3DCGのキャラクターアバターを使って配信するユーチューバーのこと。二〇一六年にデビューした「キズナアイ」が人気を博して以来、さまざまなVtuberが登場している。後輩Hも勤めていた会社を辞めて、Vtuberの制作・配信をする会社を立ち上げた。もともと後輩Hは公認会計士を目指していて、本人曰く「いいところまで行った」そうなのだが、ゲーム好きが高じてゲーム制作会社に就職した人だったから、突然会社を辞めて起業したことにもあまり驚かなかった。

　一度、後輩Hと打ち合わせをしたことがある。後輩Hのノートパソコンの画面にはゴスロリっぽい服を着た美少女キャラクターが映っていた。美少女はある大貴族の御令嬢だったのだが、ひょんなことから不老不死の力を得てしまった。実際の年齢は数百歳を超えている。「〜〜なのじゃ」と古臭い言葉を使うが、姿形は美少女のままだ。古い洋館で暮らしているが、執事やメイドの前にも滅多に姿を表さない。先祖代々受け継がれ、世界各地から収集した本が収められた書庫で、日がな一日読書に耽っている。不老不死で博覧強記の美少女……。

　こんなふうに後輩Hはデビュー予定のバーチャル・ユーチューバーの設定を熱く語ってくれた。「モーションキャプチャー」という技術があるらしい。特殊なセンサーをつけて身体を動かすと、人間の動きをキャラクターが再現してくれるのだそうだ。ゴスロリ美少女のモーションキャプチャーは後輩Hがじきじきに担当するそうで、「二次元の美少女になるという私の夢がついに叶うんです！」と絶叫していた。

　で、仕事の相談というのは、Vtuberに協力してくれそうな研究者を紹介してほしい、というものだった。配信の内容はビジネスマンや大学生をターゲットにした「教養」番組なのだという。ゴスロリ美少女がさまざまな知識や情報をわかりやすく解説してくれる。とはいえ、昨今はフェイクニュースやニセ科学が大問題になっている。

だから、専門家の監修をつけて、正しい情報を発信していきたいんです、と。

「あーなるほど、だから、不老不死で博覧強記の美少女なのね」とキャラ設定の理由をようやく理解した。正しい情報を発信したいという後輩Hの志には感心した。「ゆくゆくはキズナアイさんみたいにテレビにも出演したいです」と高い目標も語っていた。応援したい気持ちになったが、「そこまでの人気は出えへんやろな」と内心思っていた。どう見ても万人受けしなさそうな後輩の趣味全開の「ゴスロリ美少女」だったから。もう一つの理由は、インターネットでは正しい情報はすぐに埋もれてしまうからだ。

「可処分時間」という言葉を後輩Hはしきりに使っていた。人間が睡眠や労働以外に自由に使える時間のことだ。自由に使えるお金を意味する「可処分所得」という経済用語をもじった言葉らしい。人がぼーっとスマホを見ている時間を奪い合う。その競争を勝ち抜く武器として「教養」を後輩は選んだわけだ。たしかにそういうニーズはある。しかし、インターネットで目立つのは正しい情報ではなく、注意や関心をひきやすい情報だ。

　注意経済（アテンション・エコノミー）である。ぼくたちの注意や関心がお金になる。視聴回数や閲覧時間が収入になる。しかし、ぼくたちの注意にはかぎりがある。そのために注意を奪い合う激しい競争が起きている。注意経済はインターネット上の言論にも大きな影響を与えている。アクセス数を稼ごうと、感情に訴えかける言葉が並ぶ。事実に基づかないフェイクニュースばかりになる。「許せない！」と道徳的な非難が起こる文章がわざと掲載される。いわゆる「炎上商法」というやつだ。

炎上狙いの逆張り

さて、話を戻すと、「逆張り」は注意や関心をひくための簡単な方法になったのである。「逆張り商売」や「逆張り炎上屋」と言われるように、「逆張り」は「炎上商法」と結びついている。

瀧本哲史さんが「逆張り日本論（コントラリアン）」という連載をしていたことがある。そのなかに、インターネットの「炎上」と「オンラインサロン」を批判した面白い記事がある（「ネットの炎上は必然である――ネットビジネスの方程式」『戦略がすべて』）。この記事は、インターネットで「投資家的な逆張り」が機能せずに、炎上狙いの逆張りばかりになる仕組みが説明されている。ぼくなりにアレンジしつつ、その内容を紹介しよう。

インターネットの炎上は失言やミスで起こる場合が多い。しかし、なかには「炎上」を意図的に起こす悪質なケースがある。ユーザーの関心を集めるほど広告収入がはいる仕組みがあるからだ。「極端に酷く許せないような挑発的な意見」をわざと掲載し、「「これはひどい」と言った形で批判を呼びかける意見」を多く発生させて、サイトの視聴回数を稼ごうとする。その結果、インターネットは極端で挑発的な意見ばかりになって、「みんなが賛成するような普通の意見」は埋没してしまう。

瀧本氏が記事を書いたのは二〇一四年。「極端に酷く許せないような挑発的な意見」はいまでは「逆張り」と呼ばれるはずだ。投資家的な「逆張り」は、未来の社会の多数派に認められて、はじめてリターンが返ってきた。しかし、このような「炎上」狙いの「逆張り」は社会の多数派に認められる必要はない。怒りを買いさえすれば、リターンが戻ってくるのである。

もちろん、そんなサイトの評判は落ちる。ユーザーも警戒する。「オオカミがきたぞ」と嘘をくりかえすオオカミ少年のように、信頼を失ってしまう。「炎上」狙いの「逆張り」は多数派の支持が得られないのだから、いずれ自然と淘汰される。「炎上商法」は未来のない「焼畑ビジネス」なのではないか——そう考える人もいる。

しかし、「炎上」には別の側面がある。「炎上」狙いの「逆張り」は「信者」を集める有効な方法でもある。たとえば、迷惑メールを考えてみよう。芸能人がとつぜん愛の告白をしてくる。アラブの石油王の遺産が舞い込んでくる。普通の人がだまされるとは思えない内容である。しかし、それは普通ではない「カモ」を見つけるためだ。詐欺だと気づかない「カモ」をターゲットにすれば、警察に通報されることはない。「炎上」狙いの「逆張り」もこれと同じである。「極端に酷く許せないような挑発的な意見」は「信者」＝「カモ」を効率的に見つけ出す手段である。わざと「炎上」させて、多くの注目を集める。たいていのひとは非難するが、なかには「素晴らしい」と絶賛する「カモ」があらわれる。そのカモをオンラインサロンといった課金コンテンツへ誘導して「信者」にしてしまう。もちろん、そんなカモはインターネットユーザー全体の数％でしかない。しかし、割合は少なくても実際の数として集まれば、商売が成り立つ規模にはなる。「炎上商法」と「オンラインサロン」の合わせ技を使えば、リターンは一度だけでなく、継続して戻ってくる。

たとえば、ネットでは「炎上覚悟で言います」という前置きをよく見かける。しかし、社会の多数派に逆らって、「逆説的な真実」を口にする勇気があるわけではない。ただ、注目を集めたいだけなのだ。瀧本哲史さんが「炎上」狙いの「逆張り」を厳しく批判したのは当然である。

だが、いまや「炎上」狙いの「逆張り」が蔓延（まんえん）している。瀧本氏が記事を書いた二〇一四年に比べて、信者＝カモを囲い込むサービスは簡単に利用できる。ユーチューブで広告収入を得たり、noteで有料記事を執筆したり。たとえば、暴露系ユーチューバーのガーシーを登場させるなど非常識な政見放送をして、全国から薄く広く支持を集めたポピュリズム政党「旧ＮＨＫから国民を守る党」は、「炎上」狙いの「逆張り」を政治に応用した例だろう。

「逆張り商売」「逆張り炎上屋」「逆張り芸人」と揶揄（やゆ）されるように、「炎上」狙いの「逆張り」に多くの人がうんざりしているわけだ。

空気＝同調圧力を読んで、あえて逆張りする

投資家的な逆張りにしろ、炎上狙いの逆張りにしろ、「逆張り」はそもそも嫌われやすい。「逆張り」は「空気が読めない」とよく言われる。「空気が読めない」（KY）とはその場の空気（雰囲気）にふさわしい行動ができない人のことだ。たとえば、日本人は空気を大事にするから、日本は集団の同調圧力が強いから、空気を読めない人は嫌われるのだ、とよく説明される。

評論家山本七平の『「空気」の研究』という有名な著作がある（本書のタイトルの元ネタだ）。一九四五年四月七日、戦艦大和が沈没した。上陸したアメリカ軍を攻撃するために沖縄に向かう途中だった。無謀とも思える出撃が決定されたのは、その場を支配する「空気」によってだった。正しいデータやロジックではない。「空気」によって物事が決まって、破滅的な結果を招いてしまう。このような「空気」の支配にいまだ日本人は囚われている。これが『「空気」の研究』が指摘したことだ。

たしかに日本人は集団主義的だと言われる（たいしてアメリカ人は個人主義的だとみなされる）。和をもって尊しとなす。協調性を大事にする。集団行動を得意とする。この

ような日本人の集団主義が高度経済成長を果たした理由だと説明された。また近年では新型コロナウイルスワクチンの普及率の高さの要因とされる。しかし、その一方で集団主義の負の側面もよく指摘される。出る杭を打つ。自律性がない。権力にしたがう。陰湿ないじめをする。

日本人＝集団主義、アメリカ人＝個人主義と言われる。だが、その両者にちがいはないという研究がある。「アッシュの同調実験」という心理学の古典的な実験がある。被験者は二枚のパネルを見せられる。左のパネルには一本の線。右のパネルには長さの異なる三本の線。被験者は左のパネルと同じ長さの線を選ぶように指示される。だが、実験には被験者のふりをした「サクラ」が参加していて、つぎつぎと間違った線を選んでいく。被験者は「サクラ」の答えに惑わされずに、正しい線を選べるのか、という実験である。つまり、どれぐらいの人が集団に同調するのか、がわかるわけだ。

アメリカと日本の大学生で実験したところ、同じ約二五％の被験者が間違った答えを選んだという。つまり、アメリカ人も、日本人も、同じぐらい「空気」の支配＝「同調圧力」を受けるわけだ。ぼくたちの脳は集団に同調するようにプログラムされている。「多数派同調バイアス」と呼ばれる認知バイアスである。狩猟採集時代に人類は小さな群れで暮らしていた。小さな集団で「卑怯者（ひきょうもの）」や「ルールを破った」と悪い評判が立つと、仲間はずれにされてしまう。最悪の場合は殺される。そのため、良い評判を得ようと集団に同調する傾向が生まれた。進化心理学ではこんなふうに説明される。

裏を返せば、ぼくたちの脳は出る杭を打つような傾向がある、ということだ。集団のルールを守らなかったり、多数派とちがう行動をする人間を本能的に嫌うのだ。「空気を読めない」ひとが嫌われる理由である。

「同調圧力」はブームや流行が生まれる原因である。社会的なパニックや株価の暴落の原因でもある。逆張りとは株価が暴落したときに、相場の流れに逆らって株を買うことだった。「同調圧力」＝「空気」の支配に屈せずに、その逆の道に進むのである。だから、厳密にいうと、「逆張り」は「空気が読めない」のではない。空気を読んだうえで、あえて逆張りするのだ。「逆張り」は「空気を読めない」以上に嫌われることになる。しかも、注意経済において、どうでもいいような炎上狙いの逆張りが蔓延するのだから、逆張りぎらいが増えるのは当然である。

「運動」の時代と「逆張り冷笑おじさん」

これまで「本能」（認知バイアス）や「環境」（アテンション・エコノミー）という視点から考えてきた。ただ、どうも「逆張り」が嫌われる理由はこれだけではない。逆張りぎらいが増えた背景には、やはり「時代」があったのだと思う。

ぼくを「逆張りくん」とからかった太田出版の元社長の高瀬さんは、あまり会社に姿を見せなくなった。むしろデモの現場で会うことが多くなった。二〇一一年に東日本大震災と福島第一原発事故が発生して、首相官邸前では脱原発デモが行われた。在日特権を許さない市民の会という排外主義団体が街にあらわれ、ヘイトスピーチに対抗するカウンター行動が行われた。二〇一三年には特定秘密保護法、二〇一五年には安保法制に反対する抗議活動が起こり、大学生グループのSEALDsが話題になった。憲政史上最長の長期政権となる第二次安倍政権にたいして、「アベ政治を許さない！」と「野党共闘」が実現された。高瀬さんはよく抗議活動に出かけていた。批評家の柄谷行人さんと一緒に。かつて、柄谷氏がNAMという運動を起こしたときも、一緒に活動していた人だった。

ぼくが太田出版に入社したころには「運動」の時代が始まっていた。ぼくも「思想と活動」をテーマに掲げる雑誌の編集部に配属されて、デモに参加したり、取材したり、活動家にインタビューしたりした。そのあとも、二〇一七年には女性の性暴力の被害を告発する #MeToo 運動、二〇二〇年には人種差別に反対するブラック・ライブズ・マターが全米に広がった。

「逆張り」は政治運動に熱心なリベラルがよく使う。「逆張り冷笑おじさん」というネットスラングは、リベラルを嘲笑して否定する中年男性を意味する。たとえば、リベラルな野党に批判的な男性の論客が「逆張り冷笑おじさん」と呼ばれたりする。

逆張りを考えるときに、やっかいなことがある。「逆張り冷笑おじさん」というスラングは「アンチ・リベラル」の本質を突いている点は確かにある。しかし、そのいっぽうで、逆張りが否定的な言葉になったせいで、自分の気に食わない相手を「逆張り」と罵倒する光景もよく目にするのだ。

悪口や罵倒には自分にとって否定的な価値観が込められる。「逆張り」には「運動」の時代のマイナスのイメージがつまっている。ならば、ここで逆張りの思考法を使って「逆張り冷笑おじさん」を考えてみよう。逆張りの思考法とは、何かを聞いたときに、その逆を考えることだった(もちろん、論理的に厳密なものではないけど)。

「逆張り」の反対は「順張り」。つまり。集団の多数派と同じ行動をとること。

「冷笑」は……なんだろうか。「冷笑主義」はさまざまな意味で使われる。人間には私利私欲しかないと考えて、政治運動や社会正義を嘲笑することと解説書では説明される。すると、その逆は、政治運動に真面目に熱く参加すること。

「おじさん」の反対は「女性」や「若者」。

これらは二〇一〇年代の政治運動の特徴そのものである。若者や女性が中心となった政治運動(×おじさん)。理性的な議論を重ねるというよりは、人々の感情を動員するポピュリズム(×冷笑主義)。そのころの政治運動は、主義主張の細かなちがいはいったん置いて、「脱原発」や「アベ政治を許さない！」という同じ理念のもとにゆるやかに結びつこうとした。それぞれが少数派として独自路線に進むことは否定され、運動の多数派に同調することが優先された（×逆張り）。

　リベラルが使う「逆張り」にはなんとなく一定のイメージがある。もしかしたら、紋切り型（クリシエ）の表現なのではないか、と気づいたのは、ぼくが二〇一七年に出版社を辞めたあと（実質的にはクビ）、「論壇時評」という仕事をしたときだった。論壇時評とは、『文藝春秋』や『中央公論』といった雑誌（論壇誌）に掲載された記事を論じるものだ。当然ながら、リベラルな政治運動に批判的なことも書く。それがネットに転載されると、反発するリベラルな人も出てくる。

　で、ある政治学者に「若くして老いた怠惰な知性」「若い老害」と言われたことがあった。当時ぼくは三〇歳だった。たしかに「おじさん」かもしれない。しかし、その政治学者はぼくよりも一〇歳近く年上の「おじさん」だったのだ。「若い老害」なんてよく考えると、たんなる「害」でしかない。「勉強不足」とか「最新の理論ではない」と批判すればいいところを、どうしてこの人は「老害」という高齢者へのステレオタイプに満ちた言葉を使ってまでこう言いたいのだろう、と不思議に感じたのだ。

　そのとき思い出したのは、編集者だったころに「おじさん」という同じような非難を受けたことだ。ＳＥＡＬＤｓによる政治運動を批判した記事を編集したことがあった。その記事では、社会学者の北田暁大さんが、いまのリベラルの政治運動は女性問題を軽視しているとフェミニズム的な視点から批判していた。いま振り返っても真っ当な批判だったと思う。

ところが、その記事を読んだ同業の男性の編集者から「この社会学者はクソバイスおじさんだ！」と言われたのだ。「クソバイス」とはライターの犬山紙子さんの造語で、つまり「クソみたいなアドバイスをするおじさん」のことだ。その編集者はＳＥＡＬＤｓの政治運動に熱心に参加していた。たしかに批判されるとムカつくことはわかる。しかし、その編集者も五〇歳を超える「おじさん」だった。「クソバイスおじさん」と自分が罵った社会学者よりも年上だったのである。しかも、北田暁大さんはこれまでフェミニズムに人一倍熱心に取り組んできた社会学者だったから、「おじさん」と非難されるとは思いもよらなかった。

おじさんがおじさんをおじさんと非難する。女性や若者の政治運動にとやかくいうやつは「おじさん」や「老害」だという紋切り型の表現があるのか、と思った。だから、「若い老害」というよくわからない言葉が出てきたのではないか、と。そのほかにも「どっちもどっち論」とか「傍観者」「安全圏でものを言う」もインターネットでよくみかける紋切り型の表現だ。ぼくだけではなく、いろんな人に投げかけられてきた言葉である。これらの言葉もあわせれば、逆張りを考えるヒントになるのではないか。とりあえず「まえがき」に書いた悪口や罵倒をリスト化してみよう。そして、「逆張り」の思考法を実践して、その逆のことも書いてみる。

逆張り／順張り
冷笑主義、シニカル、社会運動を嘲笑う／ナイーブ、社会運動に熱心に参加する
老害、おじさん／若者、女性
批評／運動、現場
傍観者／当事者
笑い／？
どっちもどっち、相対主義／絶対主義
安全圏からものを言う／リスクや危険があるなかで行動する
目の前の問題からメタレベルに逃げる／目の前の問題とベタレベルで闘う
ポストモダン／？
言葉遊び／？

いま思いつかない部分ははてなマークにしておいた。「逆張り」や「どっちもどっち論」などこれらの言葉は「あるある！」と多くの人に共感されたからこそ、ネット

スラングとして広まったのだろう。たしかに罵倒や悪口には本質を突いている点もある。その一方で、何にでも当てはめてしまい、人々の思考を停止させるところもある。気に入らない相手に、自分にとって否定的な価値観を投げつけているだけかもしれない。

たしかにリストの反対側にあるのは、二〇一〇年代以降の運動の時代に大切にされてきたものばかりだ。「批評」ではなく「運動」や「現場」。「おじさん」ではなく「女性」や「若者」。「傍観者」ではなく「当事者」。「どっちもどっちの相対主義」ではなく……。

時期的に考えると、高瀬さんは「逆張りくん」を良い意味で使ってくださったと思う。けれども、「運動」の時代においてもぼくは「逆張りくん」だったのかもしれない。「逆張り」を考えることは、「逆張り」ぎらいの「運動」の時代だった二〇一〇年代を考えることにもなる。次の章からは、これらの言葉をたびたび取り上げながら、「逆張り」について考えていこう。

第2章

「どっちもどっち」の相対主義と「この道しかない」の絶対主義

同じところで同じ情報がぐるぐる回っている

インターネットの類友たちのポピュリズム

数年前に東京から福島に引っ越した。東京で暮らしていたとき、地域の活動に参加することは一度もなかった。最近は人が集まらないため、町内会を解散するところもあるらしい。しかし、引っ越したところは町内会がしっかりしている。けっこう行事がある。

たとえば、三ヶ月に一度、日曜日の朝七時に町内の掃除をしなくてはいけない。夏場は朝六時。集合の三〇分前にパン！　パン！　とのろし（音だけの花火）があがって、ドブさらいや草むしりをする。正直にいうと、サボりたい。このあいだなんか、ドブからドロドロに溶けたネズミの死体が出てきて、思わず叫んでしまった。地域のつながりなんて耐えがたいが、参加せざるをえない。町内会で管理するゴミ置き場にゴミが出せなくなると困るからである。

基本的にいい人ばかりなのだが、「うーん」と思うことがある。町内会でリーダーシップを取ったり、発言権が強いのはみんな年配の男性である。こんなこともある。ぼくはある女性と同棲しているが、籍を入れてない。なので、苗字(みょうじ)がちがう。そのことを町内会の人は知っているが、近所のおばあちゃんはパートナーの女性を必ずぼくのほうの姓で呼ぶ。そして、ぼくには「早く結婚して、子供をつくりなさい」とたびたび説教する。このあいだなんか、「あんたたち、ニャンニャンするときは出来ないようにしてんのか？」と尋ねてきて、「ここまで踏み込んでくんねや」という驚きと、性行為(ニャンニャン)という表現の懐かしさに、思わず苦笑いしてしまった。

お断りしておくが、みんないい人である（いい人だと強調しないとゴミが出せなくなる）。たぶん、おせっかいが好きなのだ。しかし、おせっかいの善意こそが抑圧を生むわけである。ぼくでさえ「なんだかなあ」と思うのだから、女性をはじめマイノリティはもっと生きづらいだろう。

インターネットはうっとうしい人間関係から人類を解放した。交流したい人を自分で選ぶことができる。気の合った仲間を見つけられる。いやだと思えば、フォローを外せばいいし、ブロックすればいい。ソーシャルメディアは地域や職場のしがらみから遠く離れて、なんのつながりもない人とやりとりすることを可能にした。

類は友を呼ぶ。人間は同じタイプの人間と交流する傾向がある。付き合う人を選べるSNSは「類友」を加速させた。インターネットは地域や職場のしがらみから離れて、同じ主義主張を持つ「類友」を簡単に見つけられる。保守は保守と集まって、リベラルはリベラルと集まる。

しかし、「類友」ばかりが集まると、あたかも自分の声が反響するかのように、自分と同じ考えの意見ばかり聞くことになる。「エコーチェンバー」と呼ばれる現象だ。また、インターネットではそれぞれが見ている世界が違うために、自分の好みに合わせた情報の「泡」＝「フィルターバブル」に囲まれる。くわえて、同じ考えを持つもの同士が話し合えば、主義主張はどんどん先鋭化する。これは「集団分極化」と呼ばれる。フェイクニュースや陰謀論の温床となる。つまり、「内輪」で盛り上がると大変なことになるわけだ。

とはいえ、メリットもある。「お酒の席で宗教と政治と野球の話をするな」とよく言われる。地域や職場では「類」ではない人間も「友」としなければならない。だから、深刻な対立を招く恐れがある政治の話は避けられる。だから、なあなあで済ませる。適当なところで折り合いがつけられる。しかし、「なあなあ」や「適当なところ」は多数派にとって有利な場合が多い。空気の支配である。同調圧力である。

地域や職場において少数派であっても、インターネットでは同じような悩みや不満を持つ仲間を簡単に見つけられる。マイノリティがたがいの悩みを共有して、地位の向上を訴えていく。「ブラック・ライブズ・マター」や「#MeToo」運動はインターネットの類友化によって勢いづけられたといえる。「同調圧力」に屈せずに社会の「常識」を変える力となる。そのいっぽうで、「Qアノン」のように少数の陰謀論者の運動も活気づけるようなケースもあるのだが。

二〇一〇年代は「運動」の時代だった。ソーシャルメディアを活用した運動が盛んになった。中東の民主化運動「アラブの春」ではツイッターやフェイスブックを使って抗議活動が呼びかけられた。とはいえ、最近は問題点も指摘されている。インターネットでは「類」ではない人間を「友」とする必要はない。むしろ「敵」となる。

ぼくも町内会の人に疑問を感じたからといって、「あんたらは良かれと思っているんでしょうが、保守的やし家父長制やし最悪です」といきなり直球で言うと、関係が壊れてしまう。聞く耳さえ持ってくれないだろう。これからも関係を維持しつつ、変えていこうとすれば、信頼関係を築いたうえで、ゆっくり説得する必要がある。

しかし、インターネットはちがう。職場や地域の人間には言えないような罵詈雑言が吐けてしまう。簡単に誹謗中傷できるのは、その相手と何のつながりもないからだ。今後も継続的な関係を築く必要がないからだ。ツイッターではさまざまな「類友」が

「内輪」をつくって、たがいに「敵」とみなして罵倒しあっている。

このような類友化によって「ポピュリズム」は活気づいた。ポピュリズムは世界を敵／味方、善／悪という二項対立で単純化する。わかりやすい敵＝悪への憎しみをかきたてる。世界をウエ／シタにわけて、「資本家」（ウエ）を敵にすれば、左翼ポピュリズムになる。世界をウチ／ソトにわけて、「外国人」（ソト）を敵とすれば、右翼ポピュリズムになる。たとえば、二〇一五年の安保法制の反対運動では、安倍政権（敵）と反アベ（味方）という世界観をつくり出したわけだ。ポピュリズムは、敵／味方という二項対立の世界観をつくり出して、「あなたは敵か味方か」という二者択一の踏み絵を迫るところがある。

ポピュリズムは、ぼくたちの部族主義的な本能を利用している。ぼくたちの脳は「われわれ」（味方）なのか、「あいつら」（敵）なのかを自動的に判別する。そして「われわれ」（味方）をひいきして、「あいつら」（敵）を蹴落とすような傾向がある。敵か味方かを判別する目印には、性別、年齢、人種、民族などがなりやすい。とはいえ、Tシャツの色でグループを分けただけでも、同じ色のTシャツを着た人には「われわれ」という仲間意識を持ち、ちがう色のTシャツを着た人には「あいつら」と敵意を向けるようになる。ポピュリズムはぼくたちのこのような本能を利用して、敵への憎しみをかきたてるわけだ。しかし、どうも最近は政治的な立場が異なるだけで、

「敵」とみなす雰囲気が強まっている。悪くて、愚かで、よこしまな「敵」として。これは「政治的部族主義」と言われて問題視されている。

相対主義と絶対主義は同じコインの両面

「どっちもどっち論」とか「相対主義」という言葉は「ポピュリズム」の支持者がよく使う。政治的な対立を「どっちもどっち」(どっちも正しい、どっちも悪い)とみなして中立の立場を取る人間を非難するネットスラングだ。また、「どちらかが絶対的に正しいことはない」と主義主張を相対化するために、「どんな主義主張でもＯＫ」とする「相対主義」だとも言われる。そして、このような「どっちもどっち」の「相対主義」という批判は「批評」や「ポストモダン思想」に向けられる。

「どっちもどっち論」という批判が当たっているケースはある。対立する二つのグループがある。片方のグループは人数も多く、お金や権力がある。他方のグループにはそんな力がない。歴然とした力の差がある。しかし、「どっちもどっち論」は、二つのグループの対立をあたかも対等のようにみなす。非対称な力関係を無視してしまう。こういう場合への「どっちもどっち論だ」という批判は正しいと思う(第６章)。しかし、いっぽうで、ポピュリズム支持者は自分たちの主義主張が批判されたり、運動のやり方に疑問を示されただけで、「どっちもどっち論だ」と言い出すところがある。

ぼくは絶対的な基準や権威を疑う「相対主義」は必要だと思っている。リベラルな社会を維持するためにも、である。異国を旅すると、自国の文化を当然視しなくなる。本を読むと、固定観念が覆される。どちらも相対化（相対主義）である。「男女は必ず結婚して、子供をつくるべき」とか「女性のほうは男性の姓を名乗るべきだ」という「常識」も相対化されたから、ぼくも「なんやねん」と疑問視できるわけだ。これまで共同体や宗教は絶対的な権威としてある一定の生き方を強制してきた。しかし、共同体や宗教が理想とする生き方はさまざまな選択肢のひとつでしかない、と相対化されたからこそ、ぼくたちは自分の人生を自由に選択できるのである。

SMAPの大ヒット曲『世界に一つだけの花』に「NO.1にならなくてもいい　もともと特別なOnly one」という歌詞があるように、リベラルな社会では誰もが自分らしく生きるべきだとされる。「みんなちがって、みんないい」という多様性を目指すリベラルにとって、正しさは「人それぞれ」だとする「相対主義」は歓迎されるべきものだ。たとえば、多種多様な人々が行き交うグローバル社会において、他人の言動を理解しようとすると、たいへんなことになる。なにか不愉快に感じても、「人それぞれだからなあ」と言えば、それで話はおしまいになる。「人それぞれ」の「相対主義」はグローバルでリベラルな社会を生き抜くための処世術である。

しかし、悪い点もある。「人それぞれ」の「相対主義」は、一見、他者に寛容のように見える。だが、それは他者を積極的に理解する態度を最初から放棄している。自分と異なる考えや生き方に関心を持たない。つまり、マイノリティや弱者が受ける抑圧や困難にも無関心になるということだ。当然ながら、「自分さえ良ければいい」と政治的な無関心にもなる。たとえば、「ポピュリズム」において、政治に参加しない人は「傍観者」と批判される。政治的な判断をしないのは何も選択しないのではなく、現状維持を選択することだ。「傍観者」の政治的無関心がマイノリティや弱者を虐げる政治制度を支えているわけである。このような「傍観者」批判も正しいと思う。

　実際に「どんな主義主張でもＯＫ」といくら口で言えたとしても、実行するのは難しい。自分の命を奪うような主義主張もＯＫなはずだから、究極的にはみずからの死をもって証明するしかない。あらゆるものに絶対的な価値がないと相対化すると、みずからの命まで絶対的な価値はないと相対化しなくてはいけなくなる（たぶんこれを実現できたのは、割腹自殺した三島由紀夫ぐらいである）。だから、「どんな主義主張でもＯＫ」というのは、主義主張を真摯に受け取らないための言い訳である。

　インターネットにはたくさんの情報があふれている。しかも、ぼくたちの注意を集めようとする極端な意見ばかりだ。多くの人が他人の言動を「人それぞれ」だと相対化して思考停止することで、自分の考えを守っている。しかし、自分の考えを守る方法はこれだけではない。

さまざまな選択肢に囲まれると、どれを選んでいいいか、不安になってくる。自分らしく生きることは素晴らしいことかもしれないが、自分自身で決めることはとてもしんどいことだ。すると、人々は誰か代わりに決めてもらおうとする。何が正しいかを断言してくれる絶対的な基準が欲しくなる。

カリスマや指導者の教えを絶対化すれば、もう何も迷うことはない。「こうすれば人生は成功する」という自己啓発書やビジネス書の通りに生きればよい。他人に決めてもらえば楽になる。リベラルな社会においても、宗教原理主義やあやしげなセミナーがなくならない理由が、これである。ひとつの考えを絶対化する「絶対主義」もたくさんの情報を前にして思考停止する方法なのだ。

とはいえ、カリスマの教えを絶対化しても、たくさんの情報に触れれば、自分の信仰を疑うきっかけになる。相対化する機会になる。だから、世間の常識からかけ離れた教義を持つ宗教ほど、信者を情報から隔離しようとする。家族や友人との縁を切らせ、人里離れた場所で信者たちだけで生活させる。

ときどき「カルト」や「セクト」の恐ろしさが世間で話題になる。しかし、ここまでハードではないが、ソフトなかたちで、ぼくたちも自分自身を情報から隔離している。「類友」の「内輪」に閉じこもることで、自分の考えを守っている。自分と同じ意見ばかりを聞いて、同じ意見を持つひとと議論することで、たくさんの情報から自分の考えを守っている。

するると、自分の考えがあたかも主流派であり多数派のように思えてくる。自分の考えに間違いはない。まわりのみんなもそう言っている。自分が絶対に正しいと思い込むと、対話や議論は不可能になる。なにか疑問を言われただけでも、「批判は許さない」と怒り始める。当然ながら、自分の気に食わない主義主張を「逆張り」呼ばわりすることも増えてくるわけだ。

「相対主義」と「絶対主義」は、同じコインの両面なのである。どちらも、たくさんの情報を前にして思考停止した態度である。ポピュリズムもこのような「絶対主義」に力を得てきた。逆張りの思考法の基本は、何かを聞いたときにその逆を考えることだった。「どっちもどっち」の「相対主義」の反対は「こっち」の「絶対主義」ではないだろうか。「こっち」とは、敵／味方と世界を単純化したときの「こちら側」＝「われわれ」のことだ。

とはいえ、「こっち」だとちょっと語呂がわるいので、「この道」はどうだろうか。新自由主義を推し進めたマーガレット・サッチャー英国元首相はポピュリズムの元祖としてよく言及される。だから、彼女が愛用したフレーズ「この道しかない（There is no alternative）」を拝借しよう。安倍晋三元首相もアベノミクスを訴える際によく使った言葉だ。

「どっちもどっち」の「相対主義」の逆は「この道しかない」の「絶対主義」。世界を敵／味方、善／悪という二項対立で単純化する。そして、「この道しかない」と「われわれ」の主義主張を絶対化するのだ。ポイントはカリスマや指導者といった「上」からだけでなく、「類友」の「内輪」という「下」からも「この道しかない」の「絶対主義」はやってくる、ということだ。

常識というセキュリティ

哲学は「常識」を根本から疑う。ものごとを徹底的に疑う。そして、正しいと確信する。いや、間違いかもしれない、とふたたび疑い始める。自らの考えを相対化したり、絶対化したりする。このくりかえしこそが、思考というものだ。社会の多数派が信じる「常識」を疑うのだから、当然ながら「逆張り」にもなる。自分のなかの「常識」も疑うのだから、緊張や不安を強いられる。

たいして、なにかアクションを起こすときは、絶対に正しいと思い込まないと行動できない。ふつふつ湧いてくる疑問をいったん停止させないと決断できないものだ。それでもやはり間違いかもしれない、と一抹の不安はつきものだが、大きな決断をするためには絶対的な自信が必要である。思考することと行動することのあいだには緊張関係がある。

しかし、これまで見てきた「人それぞれ」の「相対主義」も、「批判は許さない」の「絶対主義」も、たくさんの情報を前にして思考停止することであった。むしろ、それは自分の中の「常識」を守ろうとしている。思考や行動とはぜんぜん違うわけだ。ぼくたちは、普段はほとんど何も思考していない。物事をいちいち疑っていたら、たいへんなことになるからだ。ぼくたちは、コミュニティや集団の「常識」を自分の考えのように利用して、さまざまな出来事を自動的に処理している。そうやって安心で快適な日常を手に入れている。しかし、なにかのきっかけで自分の「常識」を揺るがす出来事に直面する。想定外の事態をまえにして混乱する。取り乱す。パニックになる。しかし、「常識」を突き破って侵入する出来事があって、物事を根本から考える思考がスタートする。

本を読むことは思考のきっかけにもなるし、その手助けにもなる。しかし、自分の「常識」を再確認するために本を読む人がけっこういる。ぼくは他人の家にお邪魔すると、本棚をまじまじとみてしまう。知らない本があると、手に取って開いてしまう。最近では読書記録をネットで公開する人も多い。自分の本の感想を検索して、たどりつくこともある。ほかにどういう本を読んでるんやろ、と見てみると、ぼくの知り合いの本の感想ばかり並んでいる。

「文壇」や「論壇」という業界は、優れている（と思われている）人が、優れている

（と思う）人を評価するシステムだから、「内輪ぼめ」が起こりやすい。ツイッターで本のタイトルで検索してみるといい。「内輪ぼめ」がよく見える。「類友」が出版した本を、「類友」の書き手が絶賛する。「類友」の編集者が「類友」の絶賛した投稿を拡散して、「類友」の書店員が刊行記念トークイベントを告知する。そのトークイベントのゲストもやっぱり「類友」で、「神回（普段よりも面白い、神がかった回）だった」という「類友」の参加者の感想を、「類友」の著者がまた拡散する。そら、面白いでしょうよ、自分と同じような考えの本ばかり読んでるんだもの。まあ、もちろん、ぼくも「類友」の「内輪」に入らざるをえないのだが、どうも虚しい感じがつきまとう。本を読むことが「類友」の「内輪」の「常識」を確認しあう道具になっている。

他人を自分の家に招くとき、そのひとをいったんは信頼して、セキュリティを解除しなくてはいけない。他人と親密に交際したいと思うならば、それなりのリスクを背負う必要がある。不快なことがあるかもしれない。緊張を強いられるかもしれない。とはいえ、どうも最近は安心や快適を追求する「セキュリティ」が高まっている。ちょっとでもおかしなことをすると、すぐに「不審者」と認定されてセキュリティが作動する。

本を読むのも同じである。異なる考えを持つ文章を理解するためには、自分を守る「常識」というセキュリティをいったん解除しなくてはいけない。当然、イライラする。不快になる。良い言い方をすれば、ドキドキする。スリルがある。いずれにしろ、こういう緊張は他人の考えを深く理解するためには必要なものだ。そのためには書き手をいったん信頼しなくてはいけないが、どうも信頼できる範囲が狭まっている。読書を安心で快適な体験にしたいがために、自分と似たようなものしか、セキュリティを通過できないみたいである。

この背景には、政治的な立場が異なるだけで対話不可能な「敵」とみなす「政治的部族主義」がある。「逆張り冷笑おじさん」とか「逆張り野党」といったさまざまなネットスラングは唱えるだけで物事を自動処理できる魔法の言葉である。その言葉が流通するコミュニティや党派の「常識」を簡単に利用できてしまう。しかし、その一方で、みずからの思考を停止させる言葉でもあるわけだ。

「愛が大事」と「勇気づけられる」

同じところで同じ情報がぐるぐる回っている。自分と同じ考えに出会って安心したり、自分の考えの正しさを確認することを何度も何度もくりかえしている。こういう光景を見ると、ぼくは「愛が大事」という言葉が思い浮かんでしまう。むかし「常識」のセキュリティの高さを痛感した出来事があったのだ。

二〇一三年にアントニオ・ネグリという哲学者が日本に来たことがある。二〇〇〇年に刊行したマイケル・ハートとの共著『〈帝国〉』が世界的なベストセラーになっていた。本当は二〇〇八年に来日が予定されていたが、北海道洞爺湖で開催されたG8サミットへの抗議活動を警戒した当局から事実上の入国拒否を受けたのだ。というのも、左翼の思想家だったからである。イタリアでは「アウトノミア」という政治運動に関わっていたが、元首相殺害のテロに関与したと不当逮捕されて、獄中から議員選挙に立候補して当選。議員特権で出獄してフランスに政治亡命したようなガチの左翼である。二〇一三年に来日したときも、当時首相官邸前で行われていた脱原発デモを見学している。

『〈帝国〉』の内容をざっくりと紹介するとこうなる。いまや従来の国民国家に代わるグローバルな主権である〈帝国〉が登場しつつある。〈帝国〉とは、軍事的ヘゲモニーを握る超大国、世界銀行、IMF、WTO、多国籍企業、大小の国民国家、NGOといったさまざまなアクターによるネットワーク型の権力で、グローバルな交換を調整する政治主体だとされる。このような〈帝国〉に抵抗するのが「マルチチュード」だ。マルチチュードは日本語で「群衆」とか「有象無象」と訳される。かつてのような工場で働く労働者(プロレタリアート)だけではなく、フリーター、失業者、学生、家事をおこなう女性、外国人労働者、移民……などそれこそ多種多様な人々のことだ。このマルチチュードがグローバルな民主主義によって〈帝国〉にたいして革命を起こす、という話である（本当はもう少し込み入った話なのだが、ここでは省略する）。

ネグリ氏の来日を記念するシンポジウムがいくつか予定されていた。編集長が「面白かったら、記事にさせてもらおう」と言い出して取材に行くことになった。政治学者の姜尚中（カンサンジュン）氏との対談が予定されていて、ぼくらが申し込んだときにはすでに定員は埋まっていたが、メディアの取材ということで特別に許可された。

大学の学会みたいなものを想像していたから、会場に着いてぎょっとした。パーティーに出るようなスーツや着物を着た男女であふれていた。会場のホールの壁面はガラス張りになっていて、立派な日本庭園が見渡せた。

当時『〈帝国〉』は学生にもよく読まれていた。ちょうどそのころ、知り合いの大学の先生が学生に請われて『〈帝国〉』の勉強会を公園でやっている、という話を聞いた。普通はキャンパスの教室や喫茶店でやるものだから驚いたけど、「ネグリの本を学生（マルチチュード）が読むとしたら、公園がふさわしいのかもしれない」と思い直したことがあった。

だから、シンポジウムのきらびやかな雰囲気に余計に戸惑ったのだ。編集長もネグリの読者らしくないと感じたらしく、「姜尚中のファンなんじゃない？　あの人、テレビによく出てるから、ファンが多いんだよ」と言っていた。

同時通訳用のイヤホンが配られて、会場の席に着いたのだが、ぼくのとなりの席には白髪のご夫婦が座った。やはりスーツと着物でめかしこんでいた。こういう人もネグリに興味があるのか、意外やな、と素朴に考えていた。

講演に先立って主催者からネグリの紹介があった。

「二〇〇〇年にご出版された『〈帝国〉』は世界的なベストセラーになりました。日本でも霞ヶ関の官僚に最も読まれた本と言われています」

ここまで感じていた疑念がようやく解けた。つまり、これは〈帝国〉の人向けのシンポジウムだったのだ。

同時通訳の音声は聞きづらかった。ネグリ氏のスピーチの内容もいまいち把握できなかった。すぐに退屈してしまい、メモをとるふりをして、スマホで今日のシンポジウムについて調べ直した。

シンポジウムの会場は六本木鳥居坂にある国際文化会館だった。もともと三菱財閥を率いた岩崎小弥太(こやた)の邸宅を改築したもので、ロックフェラー財団の援助で日米文化の交流拠点として建てられたらしい。シンポジウムのお知らせを見直すと、定員は一〇〇名までの抽選制だったが、どうやら国際文化会館の会員であれば、先着順で入れたらしい。会員になるためには、現会員の二名の推薦と四〇万円の寄付金、三万円の年会費が必要だった(今回の執筆のためにウェブサイトをあらためて見たが、会員には企業のエライさんが名を連ねていた)。スーツや着物で着飾った人たちは会員なのだろう。

うわー、〈帝国〉の人らやん。たしかに『〈帝国〉』は政治的な立場を超えて広く読まれていた。ネグリ氏の来日を実現するために、左派が利用したのかもしれないし、逆に利用されたのかもしれないが、こんなシンポジウムよりも、首相官邸前の脱原発デモのほうが、やはりネグリ氏のスピーチの舞台にふさわしい、と思ったのだった。

この人らも〈帝国〉の人なんか、話を聞いて何を考えるんやろ、ととなりの白髪のご夫婦をチラチラ見ていた。二人ともイヤホンから流れる通訳の音声に集中している様子だった。すると、ご婦人のほうがバッグから手帳を取り出してメモを取った。ぼくのなかでよこしまな気持ちが湧いた。どんなことをメモしたのか。盗み見てやろう、と思ったのだ。

手帳には大きな文字で「愛が大事」とだけ書かれていた。本当に大事なんだと強調するように、ぐるぐると線で囲まれていた。これを見た瞬間、ぼくはすごくいやな気持ちになった。たしかにネグリ氏はすぐに「愛」と言い出すところがある。しかし、それは「マルチチュードは恐怖ではなく、愛によって連帯する」みたいな話だ。だから、このご婦人が思っている「愛が大事」とは絶対にちがうのだ。

聞きづらい同時通訳から「愛」という言葉が流れてきたから、思わずメモを取ったのだろう。めかしこんで六本木まで来たんだし、これからなじみのレストランでディナーでも予定しているんじゃなかろうか。フレンチでも食べながら、「やっぱり人間は愛が大事だね」なんてご夫婦の会話を勝手に想像してしまい、すごくいやな気持ちになったのだ。目の前にあるはずの対立や敵対がうやむやにされる「愛」。『〈帝国〉』の著者が〈帝国〉の人らに向かってスピーチする以上に、「愛が大事」にはいやな気持ちにさせられた（いま振り返るとぼくの偏見かもしれないが、老夫婦がネグリを理解した可能性はすごく低いと思う）。

音楽や映画やアニメやマンガや小説でも「愛が大事」とくりかえされてきた。何度もくりかえされるのは、ぼくたちが「愛が大事」とくりかえし確認したいからだろう。もしかしたら、お金のほうが大事かもしれない現実がある。当たり前だと思っていても、自分の考えが揺らぐことがある。だから音楽や映画やアニメやマンガや小説を何度も消費して、「やっぱり、愛が大事なんだ」と安心したいのだ。「愛が大事」がぐるぐるぐるぐる回っている。そうなると、ぜんぜん関係ないところから「愛が大事」というメッセージを受け取ってしまう。「常識」のセキュリティはなかなか突破できるものではない。

最近、「勇気づけられる」という感想をよく見かけるようになった。小説や映画の売り文句としてもよく使われる。この言葉を目にするたびに、どっちの「勇気づけられる」なのか、と思ってしまう。自分と同じような考えと出会って、自分の「常識」を再確認して「勇気づけられた」のか。それとも、自分のなかにある「常識」を打ち破って、世界を根本から思考することを「勇気づけられた」のか。もちろん、人間にはどちらの勇気も必要である。頭を働かせるためには、休ませるときも必要だからだ。とはいえ、どうも自分の「常識」は正しかったという安心感を、「勇気づけられる」と表現する人が多い気がしている。愛が大事ぐるぐるぐるである。

第3章 「昨日の敵は、今日の友」

アンチと「アンチのアンチ」の戦争

アンチになると主義主張がおかしくなる

ぼくの父親は、いまは亡き南海ホークスのファンだった。大阪出身だと野球ファン全員が阪神タイガースを応援しているように思われるが、実際はそうじゃない。最近は関西の球団も少なくなったが、阪急ブレーブスや近鉄バファローズなどいろんなチームがあった。父親は南海電車の沿線に生まれたので、南海ホークスのファンになった。しかし、球団が身売りして福岡ダイエーホークス（現ソフトバンク）になると、阪神ファンになった。理由は地元関西のチームであることと、テレビ中継が多いからだそうだ。

ところが、そんな父親がなぜか巨人を応援していた時期がある。野村克也さんが阪神の監督をしていた時代だった。南海ホークスの四番キャッチャーとして活躍し、三冠王を獲得して、選手兼任監督まで務めた野村克也をなぜ父は嫌いなのか。子供のころは不思議だったが、トラブルの末に南海ホークスを退団したことをのちに知った。

スポーツにはアンチという応援の仕方がある。嫌いなチーム、嫌いな選手がいる。そいつには絶対に勝たせたくない。父親は相撲もよく見るが、朝青龍や白鵬らモンゴル出身の横綱が席巻した時代は、対戦相手の日本人力士たちを応援していた。アンチ朝青龍、アンチ白鵬である。横綱らしからぬ立ち会いが「けったくそ悪い（いまいましいという意味の関西弁）」らしい。もちろん、弱いものを応援したい「判官びいき」や同じ日本人だからという「身内びいき」があったかもしれない。

つまり、父はアンチ野村克也だった。そして、野村嫌いが高じてアンチ阪神になった。試合中継を観るのをやめるとか、その程度にすればよいのに、野村阪神が勝つのは「けったくそ悪い」から、いっそのこと巨人を応援したれ、となってしまった。当然ながら、そもそも巨人に愛はない。阪神ファンにはアンチ巨人が多いから、「アンチ・アンチ巨人ファン」として応援していただけだ。だから、野村克也さんから星野仙一さんに監督が変わると、阪神を熱烈に応援し出した。

「政治ファン」という考えがある。誰でも政治に参加できるのが民主主義だ。しかし、ほとんどの人は、自分たちが支持する党派を応援するために、政治に関心を持っている。もしくは、敵対する党派を攻撃したり、嘲笑したりするためだ。残念ながら、良い社会を目指して正しい判断をするためではない。阪神タイガースや浦和レッズを応援するスポーツファンのように、自分の支持する党派を応援する「政治ファン」なのである。「われわれ」(味方)をひいきして、「あいつら」(敵)を蹴落とす、という部族主義的な「本能」を満足させるために政治に参加している。

「政治ファン」はチーム(党派)の一員として誇りを持つ。応援する理由はさまざまだ。身近にあったから。近くに住んでいるから。同じ民族だから。よくテレビで見るから。まわりがみんなそうだから。合理的に判断したうえで、支持政党を決めたわけではない。政治的知識を獲得することに意欲的だが、自分のチームに都合の悪いニュースはスルーする。そのため、党派的にかたよった知識しか持たない。

「政治ファン」をスポーツに熱狂して騒動を起こす「フーリガン」に喩える研究者もいる。アメリカのリバタリアン系の政治学者ジェイソン・ブレナンの『アゲインスト・デモクラシー』では政治的な知識の有無で三つのタイプに分類している。ほとんど政治的な知識を持たない「ホビット」、自分の党派を応援するために政治的な知識を獲得する「フーリガン」、さまざまな情報に基づいて合理的な判断をおこなう「バルカン」の三種類である。そして、たいていの人が政治的に無知な「ホビット」か、かたよった知識しか持たない「フーリガン」であるとされる。政治的知識の有無は政治的な立場とあまり関係ないらしい。リベラルの「フーリガン」もいれば、保守の「バルカン」もいるし、その逆のパターンもある。

「逆張り」は「アンチ」ともよく結びつけられる。たしかに逆張りは主流派や多数派にたいする「アンチ」である。また「朝日新聞は逆張りしかしない」とか「逆張り野党」という言葉もよく見かける。つまり、きちんとした考えをもって批判や反対をしているのではなく、政府を叩いて否定するためだけに批判や反対をする「アンチ」という意味だ（実際にそうなのかどうかはとりあえずおく）。

「アンチ」というのは、敵を蹴落とすことに夢中になった状態といえる。もちろん、ぼくたちはあるコミュニティや地域のなかで生まれ育つ。別のコミュニティの潜在的な「アンチ」になる。だからと言って、積極的に攻撃してやろうと思う人は少ない。「人それぞれだなあ」と無関心＝寛容に過ごす人が大半だ。

しかし、ポピュリズムは味方と敵を峻別し、敵への憎しみをかきたてる。「アンチ」として、敵を叩くことに夢中になる人が出てくる。より攻撃的な言動をすればするほど、「われわれ」（味方）から賞賛が得られる。部族主義的な本能を満足させられる。そうなると、敵をやっつけることに夢中になるあまり、自分の主義主張がおかしくなる人も出てくる。アンチ・アンチ巨人ファンとなったぼくの親父のように。

たしかに「アンチ」には独特の効力がある。たとえば、野球ファンには「アンチ巨人」がけっこういる。東京ヤクルトスワローズの応援歌「東京音頭」がかかると、「くたばれ読売！　くたばれ読売！」と他球団のファンも一緒になってコールが起きる（ひどい表現なので、最近は自粛されてるらしい）。アンチ巨人として、それぞれのチームのちがいを超えて、団結するわけだ。このように「アンチ」には主義主張を超えて共闘させる効果がある。たとえば、二〇一五年の安保法制反対運動では「反アベ」を旗印にして、さまざまな主義主張を持つ集団が共闘したわけである。

アンチは主義主張の異なるもの同士を共闘させる力がある。しかし、それは「敵の敵は味方」という論理である。そうなると、アンチとして敵を叩くことに夢中になるあまり、その人の主義主張から考えると絶対にありえない「敵の敵」と結託するひとも出てきてしまう。

「敵の敵は味方」という論理

たとえば、2ちゃんねる（現5ちゃんねる）に「なんJ」（なんでも実況J板）というプロ野球の中継などを実況するスレッドが立てられる掲示板がある。二〇一八年に「なんJ」のユーザーがヘイトスピーチやネトウヨ的な内容があるユーチューブ動画を違反報告する出来事があった。大量のネトウヨ系の動画が削除されたため、この騒動を歓迎するリベラルがいた。

反差別運動にコミットする精神科医の香山リカさんは、みずからの著書で「革命的なできごと」だと評価していた。しかも、「差別ネタや歴史修正主義ネタの温床」となってきた「2ちゃんねる」で、「実はそれに背を向ける、いわゆるリベラル的色彩の強い一画」と「なんJ」を紹介していた。ところが、「なんJ」は男性の「同性愛」をネタにしたり、ある弁護士への誹謗中傷がひどい界隈であることは有名なのだ。野球ファンとして一〇年近く閲覧してきたという香山さんが知らないはずはないのに、このような手放しの賞賛には驚いてしまった。当然ながら、反差別を掲げる人が、同性愛差別や人権侵害を容認するわけはないので、「敵の敵は味方」としておかしな言動を取ってしまったのである。

また、雑誌の編集をしていたとき、こんなことがあった。たとえば、第二次安倍政権のころ、一部のリベラル系知識人が、アベノミクスを欧米の左派が唱える反緊縮政策に近いものだと支持していた。もちろん、アベノミクスに批判的なリベラルの論者も多かった。そのため、賛成派と反対派の記事を掲載する特集を組んだところ、賛成派の記事を掲載するのは「敵（安倍政権）に利するからやめろ」という読者の感想をもらった。「その主張は間違っている」という批判は歓迎だが、「その主張に理があったとしても、敵の利になる可能性があるから掲載するな」というわけだ。しかし、主義主張よりも党派対立を優先する姿勢が行き着くのは「敵の利になるから「われわれ」への批判は許さない」という「絶対主義」でしかない。

リベラルだけを例に出すのは不公平な感じなので、つけくわえると、アンチ安倍晋三アンチ自民党になるあまり、「天皇や王族を称賛する左翼」とか「選挙に行こうと呼びかけるアナキスト」も見かけたことがある。敵を叩くことに夢中になって、自分の主義主張と矛盾した言動をとってしまう。部族主義的な本能の恐ろしさである。

そして、このような「敵の敵は味方」という論理はツイッターでは日常茶飯事なのだ。なにか炎上が起こるたびに、信じられないプレイヤー同士がタッグを組むドリームマッチが開催される。最近見かけた例だと、トランスジェンダーへの差別を批判されたフェミニストが、これまで対立していたアンチ・フェミニズムの論者と結託していた。敵を叩けるならば、信じられないような「敵の敵」にまで飛びついてしまう。従来の意味とはちがうけど、まさに「昨日の敵は、今日の友」というべき世界なのである。

「敵／味方」の世界観を絶対化する

たくさんの情報を前にして、思考停止することで自分の考えを守ろうとする。「この道しかない」の「絶対主義」がポピュリズムに力を与えてきた（第2章）。しかし、どうも、その割にはみずからの主義主張をぞんざいに扱っている。敵を叩くことに夢中になるあまり、ありえない言動を取っている。このような「アンチ」を見ていると、主義主張を信じこんでいるのではなくて、敵／味方、善／悪という二項対立の世界観のほうを絶対化している、と思わざるをえない。「敵の敵」とタッグを組むことは、主義主張から考えると矛盾かもしれない。しかし、敵／味方という二項対立的な世界観からすれば、「敵の敵」は必然的に「われわれ」の「味方」となる。

ポピュリズムは「敵」を否定することで、「われわれ」というアイデンティティを確立する。「あいつら」とのちがいを示すことで、「われわれ」を成立させる。両者は対立しながらも、互いに依存している。だから、「われわれ」と「あいつら」の共通点を指摘する批判は、この対立関係を揺るがしてしまう。せっかく結集させた「われわれ」というアイデンティティを崩壊させる。敵／味方、善／悪という二項対立の世界観そのものを批判することは、ポピュリズムにとって「敵」以上の「敵」になる。

このことで思い出すのは、二〇一五年の安保法制反対運動の最中に起きた出来事だ。抗議活動に参加した英文学者の北村紗衣さんが、ＳＥＡＬＤｓの女性メンバーのスピーチを批判した。その女性メンバーは「帰ったらご飯をつくって待っててくれているお母さんがいる幸せ」を平和の象徴として訴えていた。しかし、彼女が前提とした「家族」は、母親が家事や子育てをするという、安倍政権が理想とする「伝統的な家族像」と同じではないか、と批判したのだった。

つまり、安倍政権（敵）と反アベ（味方）という対立にたいして、その両者は共通してフェミニズムの問題意識が欠けている、と指摘したわけだ。抗議運動を揶揄するためでもない。しかし、フェミニズムが流行した現在からすると意外かもしれないが、北村さんの批判は「運動つぶしだ」とか「イチャモンだ」と大炎上したのである。ちなみに第1章で男性編集者から「クソバイスおじさんだ！」と激怒された記事は、この炎上を扱っていたのだった。

対立する陣営に共通する問題点を指摘する。良い意味での「どっちもどっち論」である。しかし、それはポピュリズムにとって「敵」以上の「敵」になる。主義主張を相対化することを表現したいならば、「人それぞれ論」でも「どんな主張でもＯＫ論」でもいいはずだ。しかし、相対主義を「どっちもどっち論」と言うのは、敵／味方という二項対立の世界観のほうを絶対化しているからだろう。このような世界観を相対化する批判はポピュリズムそれ自体への「敵」として、憎しみを向けられる。

ポストモダン思想が嫌われる理由？

「ポストモダン」思想は「相対主義」だとよく批判される。ここでいう「ポストモダン」思想とは、フランスで一九六〇年代から九〇年代に展開された哲学である「ポスト構造主義」のことだ。ジル・ドゥルーズ、ジャック・デリダ、ミシェル・フーコーなどが知られている。柄谷行人や蓮實重彥など日本の批評家にも大きな影響を与えた。とはいえ、彼らの多くは「ポストモダン」という呼び方には批判的だった。「ポストモダン」は略して「ポモ」と言われるが、これはたいてい否定的な意味で使われる。

ぼくも「日本の批評」や「ダメポモ（ダメなポストモダン）」にかぶれた「どっちもどっち論」と言われたことがある。たしかに批評をよく読んできたし、卒業論文のテーマはポスト構造主義に影響を与えた精神分析家ジャック・ラカンだった。とはいえ、これまで書いた二冊の本は、認知バイアスといった問題に触れる必要があったので、進化心理学や行動遺伝学といった「現代の進化論」に多くのページを割いている。「現代の進化論」を唱える著者のほとんどは「ポストモダン」嫌いなのである（ポピュラーな書き手としてはスティーブン・ピンカー氏や橘玲氏）。だから、「ダメポモ（ダメなポストモダン）」と言われたとき、どうもこの言葉にも一定の悪いイメージがすでにあるのではないか、と思ったのだった。

たしかにポストモダン思想は「ポスト・トゥルース」の原因だとよく非難される。「ポスト・トゥルース」とは「世論が形成される際に、客観的な事実よりも感情や信念にアピールするほうが効果的な状況」のことだ。

たとえば、こんなふうに非難される。ポストモダン思想とは「あらゆるものに唯一ではなく、複数の答えがある」「真実は存在せず、さまざまな解釈があるに過ぎない」という考えである。このような「相対主義」が広まった結果、「アウシュヴィッツはなかった」という歴史修正主義が生まれ、科学的な事実を無視するフェイクニュースが蔓延し、ドナルド・トランプが大統領に当選したのだ、と。

しかし、ポスト構造主義を専門とする研究者によれば、このようなポストモダン理解は間違いだとされる（アメリカでのポスト構造主義の受容のされ方に問題があるらしい）。たとえば、哲学者の千葉雅也さんはポスト構造主義に「相対主義」っぽいところがあると認めている。しかし、それは、資本主義が発展して価値観が多様化していくなかで、その理論化を試みたためだという。また、「どんな主義主張でもＯＫ」、「みんなバラバラでいい」というわけではなく、「いかにして他者を尊重するか」「さまざまな存在がどのように共に生きるべきか」というテーマが存在する、と指摘している。

千葉さんによるジャック・デリダの「脱構築」の解説を紹介しよう。「脱構築」は二項対立の「決定不可能性」を導き出すものだ。ぼくたちは善と悪というように「二項対立」で物事を考える。文化と自然、声と文字といったさまざまな二項対立がある。たいていの場合、対立の片方にはプラスの価値（善）があり、もう片方にはマイナスの価値（悪）があるとされる。「脱構築」はまずマイナス側の価値観は絶対にマイナスなのか、という「疑問」から出発する。そして、マイナスの価値観に味方するような論理を考え出して、プラスとマイナスの対立が相互に依存するような状態を描き出す。当然ながら、マイナスとされている価値観に味方するわけだから、「逆張り」である。善でも悪でもあるようなものを取り出して、二項対立の「決定不可能性」を導くわけだから、ポピュリズムそれ自体の「敵」となる。

少し前まではフェイクニュースを蔓延させトランプ大統領を誕生させた原因として、ポストモダン思想は非難されていた。ところが、最近はいわゆる「キャンセル・カルチャー」といった人種差別や女性差別を批判する「ラディカリズム」の原因とも言われる。どうもリベラルな社会にとって都合のいい悪役にされている。デリダの脱構築だけでなく、ポストモダン思想にあるのは「ラディカルな懐疑主義」だ。「ラディカルな懐疑主義」がどうもリベラルな社会から忌み嫌われるようなのだ。

リチャード・ローティというアメリカの哲学者がいる。ローティの著書『偶然性・アイロニー・連帯』では「ポストモダン」や「相対主義」を積極的に使って、リベラルな社会を構想している。あらゆる主義主張は絶対に正当化できるものはない。自分自身の考えもまた相対的である。しかし、私たちは他者の苦しみに共感できる。あらゆる残酷さを回避するために協力して、社会を改良していくべきだ、と。むしろ、自分の考えを絶対に間違いはないと押し通すことは、暴力につながり、悲惨な事件を引き起こす原因とされる。このような立場を「リベラル・アイロニスト」と呼んでいる。

ただし、相対主義的なローティ氏も、相対化していないものがある。（アメリカの）自由民主主義である。リベラル・デモクラシーに絶対的な信頼を置いている。

　リベラルな社会においてあらゆる信仰や主義は相対化することが必要とされる。しかし、リベラルな社会の前提となる「法」や「正義」、そして「民主主義」や「資本主義」を相対化することは許さない。「法」や「正義」、「民主主義」や「資本主義」を疑って、戦いを挑んだり、反旗をひるがえすやつらは絶対的な「悪」＝「敵」とされる。革命家、テロリスト、独裁者、極右、極左、アナキスト、ファシスト、全体主義者、宗教原理主義者、民族主義者、過激派、カルト、ヤクザ、マフィア、犯罪者、小児性愛者、レイシスト、セクシスト……などなどだ（とはいえ、国家を悪とみなす点でリベラリズムとアナキズムは「哲学的双生児」と呼ばれるぐらい似ている。一見過激に思われがちなアナキストもリベラルな社会でもてはやされたりする）。

　この点において「リベラル」は善悪二元論のポピュリズムや、「批判は許さない！」の絶対主義と結びつく。かつて、リベラルな価値観を共有しない他者とどのように共存していくか、みたいな議論もあったが、最近は問答無用で「アウト！　一発退場！」という感じになっている。たいして、ポストモダン思想が持つ「ラディカルな懐疑主義」は、このような二項対立を打ち立てるリベラルな社会を疑うことをやめないわけで、このあたりが都合良くあらゆる悪の原因にされる理由かもしれない（「ポストモダン」が雑に使われていると怒る学者は「新自由主義」という言葉を雑に使って、「新自由主義」が雑に使われていると怒る学者は「ポストモダン」を雑に使っている。そんな光景をよく目にするが、これに関しては本当に「どっちもどっち」である)。

オウンゴールに熱狂するフーリガン

東日本大震災と福島第一原発事故が起きた二〇一一年あたりからツイッターの雰囲気が変わった。ユーザーも増加して、芸能人や政治家といった著名人も参入した。SNSを利用した政治運動が盛んになって、デモの映像が拡散され、ハッシュタグ機能を利用した抗議活動がおこなわれた。「日本の政治に危機感を感じて、ツイッターを始めました」というプロフィールのアカウントが増えた。そういうひとは四六時中怒っている。

ポピュリズムは人々の感情を動員する。敵への怒りをかきたてようとする。ある研究によれば、ひとは理屈やデータを示されても、なかなか行動に移さない。感情に訴えたほうが行動をうながせるそうだ。くわえて、SNSでは「喜び」や「悲しみ」に比べて「怒り」を表現した投稿、道徳に関連する投稿が広がりやすいという。つまり、「あいつらは許せない!」と道徳的な怒りを煽る投稿がもっとも拡散される。

感情を動員するポピュリズムはSNSと相性がいい。しかし、むかしから「短気は損気」と言われる。ぼくたちはカッとして感情的になると、不利益な判断をしてしまう。感情は即座に反応できるが、間違えやすい。目の前のことに気を取られて、後先のことは考えなくなる。というのも、さまざまな認知バイアスの影響を受けるからだ。事件の渦中にいる当事者が感情的な物言いになるのはしょうがない。しかし、冷静な議論を進めるべき、言論で飯を食う人たちまで、道徳的な怒りを煽って、「いいね！」を稼ぎ始めた。

敵への怒りをかきたてれば誹謗中傷や罵詈雑言がひどくなる。あいつは許されないことをしたのだから、どんなひどいことをやってもいい、となる。敵をやっつければやっつけるほど、自分の味方（われわれ）の評価が高まるからだ。部族主義的な本能に導かれて、事態はエスカレートしていく。

こうなると、議論や対話はおこなわれない。ツイッターはそもそも「つぶやく」ためのＳＮＳだった。たとえ実際に言葉が交わされても、相手の主義主張の具体的な問題点が検討されることは少ない。むしろ、敵がいかに道徳的な悪なのかを印象付けようとする。敵は不公平であり、えこひいきであり、不真面目であり、誠実さがない、力を持って徒党を組んでいる。一方で自分がいかに道徳的な善なのかがアピールされる。誠実であり、公平であり、真面目であるにもかかわらず、力を持たず、虐げられている……。

また、相手がいかに知的に信用できないか、とイメージ操作もよくされる。ちょっとした失言や言い間違いを鬼の首をとったように言いふらす。そのときの話題とは直接関係がない過去の言動が持ち出される。たとえば、政治家の麻生太郎の「未曾有（みぞうゆう）」（〇みぞう）、安倍晋三の「云々（でんでん）」（〇うんぬん）、国際政治学者の三浦瑠麗の「大喪の礼（たいものれい）」（〇たいそうのれい）などなどだ。

揚げ足を取ったり、重箱の隅を突ついたり、こういった論法はインターネット以前からあった。さっきあげたのはリベラルの例だけど、もともとはアンチ・リベラルがよく使った論法だった印象がある。たとえば、「戦後民主主義」に対して「封建主義」を掲げた逆張り的な評論家の呉智英（くれともふさ）氏が得意とした。かつて進歩系知識人の代表格であった加藤周一が、テレビ番組でフランス語をペラペラと話したあとに、「キジャク、キジャク」と連呼していて、なんだろうと思ったら、「脆弱（ぜいじゃく）」のことだったというエピソードを、呉氏は披露している。このような揚げ足取りは、大学教授、新聞記者、官僚や政治家といった知性が必要とされる職業にたいして非常に効果を発揮する。教養や知識のなさを暴露できるからだ（ちなみに呉智英氏の場合は儒教の「正名思想（せいめい）」〈名称と実質との一致を志向する思想〉に由来する面もある）。

敵／味方という二項対立の世界観を作るポピュリズムは、いかに敵が知的にも道徳的にもひどいやつなのか、という印象操作をおこなっている。ぼくはあまり好きではないが、むかし本多秋五という文芸批評家がいた。そのひとの有名な言葉に「批評家よ、戦後文学をその最低の鞍部で越えるな、それは誰の得にもならないだろう」というのがある。「鞍部」とは山と山をつなぐ尾根が最も低くなった地点。山を越える峠道がよくできる場所を指す。

つまり、相手を批判するにしても、もっとも低いところではなく、もっとも高いところを超えよ。批判する相手の主義主張を、相手が気づいていない部分まで、最大限にその射程を引き伸ばしたうえで批判する。これが「批判」の基本である。まあ、実際にやるとなれば難しいのだが、しかし、いまインターネットでは「批判」の価値はどんどん暴落している。敵を矮小化して、道徳的な悪と描いて、知的に愚かだとまわりに印象づける。そして、罵詈雑言や誹謗中傷でコテンパンにやっつけてみせる。それが批判だと思われている。もう低い低い、最低の「鞍部」を超えまくっている。相手のオウンゴールで熱狂する「フーリガン」ばかりである。

しかし、一方で批判が力を失ったからこそ、こういった相手の評判を下げる戦略が無自覚に取られるのかもしれない。炎上狙いの逆張りにおいて、批判は逆に利用されてしまう。具体的な問題点を指摘したところで、相手の主義主張に注意を向ける結果になってしまう。もしかしたら、敵の言説に触れることで味方の考えを変えるきっかけになるかもしれない。であれば、「われわれ」の集団内において、敵がいかに知的にも道徳的にもひどいやつなのか、という評判を広めたほうがいい。そうすれば、敵とみなしたものの主張に関心を持たせることなく、敵／味方、善／悪という二項対立の世界観をさらに強化できる。

最近のツイッターは、何かトラブルや炎上が起きるたびに、ポピュリズムの代理戦争の場になる。その炎上をダシにして、「類友」たちが互いに罵倒し合う。炎上に便乗してまったく関係ない罵詈雑言を書く人も出てくる。絶対に友人に持ちたくないが、どうもそういう人が増えた。炎上のたびにこういうふるまいを見て「いややなあ」と思っていた。しかし、一〇年ぐらいツイッターをやっていると、自分にも身に覚えがないわけではなかった。だから、最近はなるべく自重しようとしていた。しかし、実際に自分が炎上に巻き込まれると、ついついやってしまうのだ。

ツイッターという類友の内輪

少し前にコラムニストの小田嶋隆さんとツイッターでトラブルになったことがあった。『みんな政治でバカになる』という二冊目の本を出したときだ。タイトルが癇に障ったらしい。ツイッターでしつこく絡まれた。

小田嶋さんは二〇二二年に亡くなられてしまったが、自民党政権を批判する「リベラル」（?）の急先鋒として知られていた（?マークをつけたのは、女性問題への理解がおかしいと疑問視するリベラルもいたからだ）。リベラルに批判的な論客をお得意のダジャレで茶化すことが多かった。たとえば、哲学者の東浩紀さんが経営する企業「ゲンロン」を揶揄して「ゲロとウンコを混ぜればゲンロンなのか？」とか言っていた。とはいえ、なぜぼくみたいなのに絡むのだろう、と不思議に思っていたが、どうやらぼくの担当編集者とトラブルがあったようだった。つまり、巻き添えを食らったわけである。

ぼくが小田嶋さんに抗議したところ、双方がちょっとした炎上状態になった。ぼくのようなちょっとしたトラブルでもポピュリズムの代理戦争の場となって、それをダシにして敵への攻撃がはじまった。「敵の敵は味方」として、とんでもない思想の持ち主まで助っ人として駆けつけてきた。

で、実際に自分が騒動に巻き込まれると、これまで述べたようなふるまいをしてしまう。自分のことを悪く言われると、カッとなって言い返したくなる。相手は大御所のコラムニストだが、ぼくはキャリアの浅い若い書き手なのだと弱者のようにふるまってしまう。小田嶋さんを嫌っている人も多かったから、アンチ小田嶋隆みたいなひとも駆けつけてきて、炎上に便乗して言いたい放題をやっているのを見ると、どうしてもほくそ笑んでしまう。

しかし、炎上から二、三日経って、自分のツイッターを冷静に読み返すと、みっともない文章が並んでいる。弱者のようにふるまっているが、曲がりなりにも全国の書店に自分の本が並ぶぐらいの発信力はあるわけで、どこが弱者なんや、と自分にツッコミたくなる。恥ずかしさのあまり、「ツイ消し」（ツイート＝投稿を消すこと）をした。ツイッターは人間を堕落させる。炎上のたびにこんなふうになるのか、と自分自身が心配になって、結局、仕事を告知するためのアカウントを削除したのだった（ツイッター上の友人と連絡手段をとるための、プライベート用アカウントは残している）。

ところで、ぼくには人間関係を円滑に回す能力がない。もう少し正確にいうと、血縁や地縁、学校や職場の人間関係をうまくやるのが非常に苦手である。家族や親戚に囲まれて、地域のコミュニティに根ざして暮らしている。フェイスブックやLINEでも学校や職場の人間とつながっている――こういうひとを見るとうらやましく思う反面、すべてがいやになって失踪したくならないのか、と不思議になる。

ぼくのような人間にたいして、ツイッターには無関係だからできる社交があった。ぼくのような人間にとってそれはとても楽しいものだった。もちろん、昨日までやりとりしていたのに、突然ブロックされたり、アカウントを削除していたり、ある日更新が止まっていて、中の人が自殺していたりする。そういうショックなこともある。しかし、一方で、人間関係を切る自由、失踪できる自由を確保しつつ、気の合った仲間を見つけられる。いつでもさよならできるからこそ、楽しく付き合える。そんな無関係だからできる社交があったのだ。

ところが、どうも東日本大震災が起きた二〇一一年ぐらいからツイッターの空気が変わり始めたのだ。いろんな人と社交できるのではなく、「あいつら」と「われわれ」に分かれていがみ合う、ポピュリズムの代理戦争の場となっていた。そういう雰囲気に嫌気がさしたのもアカウントを削除した理由の一つだ。

福島に引っ越して最初に気づいたのは、誰もツイッターをやっていない、ということだった。まあ、全然というわけではなく、ちょこちょこ使っている人はいる。けれども、若い人はTikTok、年配の人はフェイスブック。年齢に関係なく、一番使われているのがインスタグラム。そしてSNS自体をあまり見ていない人も多い。あくまでもぼくの印象にすぎないけど、そんな感じである。

東京に住んでいたころは、まわりの書き手や編集者もツイッターを使っていたので、それが普通なんだと無意識に思い込んでいた。すると、ツイッターと世間のズレが気になってきた。どうもツイッター自体がひとつの大きな「類友」で「内輪」で盛り上がっているだけだと実感することが多くなった。

「類友」の「内輪」感を最も感じるのは、選挙の日だった。ぼくのフォロワーは政権に批判的で、野党を支持するひとが多かった。投票率が上がるだけで与党が敗北すると思い込んでいる。投票日がちかづくと「選挙に行こう」と呼びかけが始まる。期日前投票を済ませたという報告があふれる。選挙当日には「投票所に列ができている」「いつもより人が多い」と投票率を期待するツイートが増える。野党が躍進するのでは、みたいな声も出てくる。

しかし、開票がはじまると、だいたい投票率は五〇％ぐらいで、約半数の有権者は投票に行っていないと判明する。投票率の低さを嘆き、悲しみ、呪い、ブチギレる。ここ最近の選挙のたびにくりかえされる光景になっている。「選挙に行こう」と呼びかける人のまわりには、同じように「選挙に行こう」と呼びかける人が集まる。だから、みんなが選挙に行くのだと勘違いするわけだ。

支配的な政治は自然の顔をしている

引っ越した家の近くに温泉があるので、よく通っている。夕方になると農作業を終えたひとたちで混雑する。ぼくの親ぐらいの世代で六〇代から七〇代だろうか。お湯に浸かりながら、おじいさんたちの会話をそれとなく聞いている。ところで、最近、面白いことを発見した。

おじいさんの世間話に政権への不満が出てくると、首相が変わるのである。普段の会話は「雪が多い」とか「田植えが始まった」といった、たわいのない話ばかりだ。しかし、政府への非難がぽろりぽろりと出てくるときがある。そのころには内閣の支持率が危険水域にまで落ちている。しばらくすると退陣に追い込まれるのである。

これまで聞いたおじいさんたちの不満は、第二次安倍政権の「アベノマスク」、菅政権の「東京オリンピック」、そして、岸田政権の「旧統一教会と国葬」についてだった。まあ、いま執筆している時点で岸田内閣は退陣に至っていないが、支持率を大幅に落としている。今回も「温泉のおじいさんの法則」は的中するだろうか。

SNSが政治の可能性を広げたところはある。リアルの活動に参加しつつ、その片手間にツイッターでも発信しているというのが、多くの人の実情だろう。しかし、なかには、ハッシュタグをつけて投稿したり、オンラインで署名したり、ツイッターで何かつぶやけば、政治にコミットしていると勘違いする人もいるようなのだ。

ツイッターだけで政治運動がいくら盛り上がっても、温泉のおじいさんに届くことはほぼない。それがネットの限界である。もちろん、温泉のおじいさんが「一般的な世間なのだ」とか「サイレント・マジョリティだ」と言いたいわけではない。おじいさんもおじいさんでめちゃくちゃかたよっている。しかし、かたよった地域のコミュニティで、「雪が多い」とあたかも自然の話のように、政府への不満が出てくるレベルにならないと、社会の多数派にはなれない、ということだ。政治が政治の顔をして登場すると、途端に拒否する人がいる。シュプレヒコールを聞くだけで、デモを目にするだけで、ドン引きする人はけっこういる。そのとき最も支配的である政治的な立場はあたかも自然の顔をしている。それぐらい「常識」というセキュリティは頑強なのだ。

さて、ここで述べたことは「逆張り」の典型的な論法である。インテリたちが議論している。いろんな主義主張を闘わせている。互いの主張の優劣を競い合っている。そんななかで「大衆」や「生活」を引っ張り出してきて、インテリの議論すべてを相対化する。このやり口を多用したのが、小林秀雄や吉本隆明といった日本の文芸批評である（第７章）。「批評」でよく使われる「逆張り」の基本中の基本である。あまりに使われた手法なので、自分で書いていても恥ずかしくなるレベルだ。とはいえ、使い古された「逆張り」をせざるをえないのは、ツイッター自体がひとつの「類友」の「内輪」になってしまい、その外にある現実との落差があまりに激しいからである。

第4章
「ブーメランが突き刺さっている」
アンチ・リベラルの論法

常識や良識を相対化できればなんでもいい

政治運動に熱心なリベラルが「逆張り」という言葉をよく使う。「逆張り冷笑おじさん」というネットスラングは、リベラルな政治運動や社会正義を嘲笑して否定する中年男性のことだ。もちろん、自分の気に食わない意見に「逆張り」と言っている場合もある。しかし、その一方で、「アンチ・リベラル」としての「逆張り」の特徴をうまくとらえている。たとえば、こんなことがよく言われる。

「中身のない人間が逆張りをくりかえして、最終的にモンスター化する」
「逆張りしすぎてまともな世界に戻ってこられない」
「逆張りで一線を超えてしまう」

たとえば、ネトウヨは「アンチ・リベラル」である。歴史をさかのぼると、一九九〇年代に「戦後民主主義」を掲げる市民運動＝リベラルへの反発から生まれた、という経緯がある。だから、世代的にいうと、たしかに「逆張り冷笑おじさん」になる。「アンチ・リベラル」はリベラルに反発して在日外国人や生活保護受給者を攻撃する。リベラルが批判する政府や大企業といった権力の側に立とうとする。「勝ち馬」に乗って、リベラルな政治運動を嘲笑おうとする。たとえ、自分が不利益を被るはずの「負け組」の立場にあったとしても、だ。

なかにはドナルド・トランプを救世主として支持したり、プーチンのウクライナ侵攻まで応援したりする人もいる。いずれも、リベラルへの反発からである。「おい、北方領土問題はどうした？ おまえはプーチンの味方かもしれないが、プーチンは絶対におまえの味方じゃないぞ」とさすがに言いたくなるが、「モンスター化する」「一線を超えてしまう」「まともな世界に戻ってこられない」という言葉は、このあたりをうまく表現している。

たしかに、「アンチ」になると、敵を叩くことが最優先になって、自分の主義主張がおかしくなる。これまで説明してきたとおりだ。アンチたちが「類友」になって、「内輪」で盛り上がれば、どんどん過激化していく。とはいえ、普通であれば「あなたの政治的な立場からすれば、さすがにおかしいのでは？」とツッコミを入れれば、何かしらの言い訳が期待できそうな感じもあるのだ。主義主張をないがしろにしつつも、正しさをいくらか気にかけている。ぎりぎり。かろうじて。そんな印象がある。

しかし、「アンチ・リベラル」としての「逆張り」は、みずからの主義主張にぜんぜん興味がない。たとえば、ネトウヨは「リベラル」を「反日」と非難して、「愛国心」や「日本ファースト」とか言ったりする。しかし、その割には同胞の日本人が貧困で苦しんでいることにはどうも関心がない。トランプやプーチンへの支持もそうだ。本当に彼らの考えを知っているのか、理解しているのか。2ちゃんねるの「なんJ」を支持するリベラルに目くじらを立てたのが馬鹿らしいぐらいに、無茶苦茶である。

この理由はネトウヨがバカだからとよく説明される。さっきの引用でも「中身がない」＝「知的能力がない」からだと言われていた。ただ、ぼくはちょっとちがうと思っている。中身がないから、みずからの主義主張をうまく組み立てられないのではない。そもそも組み立てる気がないのだ。

「アンチ・リベラル」としての「逆張り」は「正しさ」をそもそも気にしていない。かといって、嘘やフェイクを唱えているつもりもない。嘘をつくとき、ほとんどの人はぎこちなくなる。真実を隠そうとして、その正しさを意識するからだ。しかし、「アンチ・リベラル」は真実であろうと嘘であろうと、どうでもいい感じである。その場その場の出まかせ、でたらめな感じがある。主義主張の正しさを議論で戦わせよ

う と最初から思っていない。あえて「中身」がないのだ。

たとえば、社会学者の北田暁大さんは「アンチ・リベラル」としての「逆張り」についてて次のように論じている。

たとえば、現在のネットスラングに「逆張り」という言葉がある。世のなかで重要な価値だと思われており、その相対性を認識せずに信じている他者が多数である、と判断されうる場合に、自らの主張の妥当性の根拠を肯定的に語ることなく、「相対性を知らない（マジョリティとかれらが考える）他者」の立場性を相対化・批判する——という行動様式のことを指す。

——『終わらない「失われた20年」』

ややこしい文章だが、わかりやすく言い換えると、みずからの主張をほとんど語ることなく、多くの人が当たり前のことだと信じている「常識」や「良識」を斜に構えて相対化することである。もっと簡単にいうと、「アンチ・リベラル」としての「逆張り」は、主義主張も言わないくせに、リベラルな言説を相対化してバカにする人々だ、というわけだ。ぼくの見た範囲で「逆張り冷笑おじさん」というネットスラングをもっともアカデミックに表現している文章である。

じゃあ、どういうふうに「相対化」するのか。この点については朝日新聞の「逆張り」の特集記事が参考になる。ナチスドイツを専門とする研究者の田野大輔さんによれば、SNSでナチスを絶対悪だと主張すると、「ナチスはアウトバーンを建設して失業者を減少させた」という「良いこと」をあげるアカウントがあらわれる。なにかひとつでも「良いこと」をあげて、ナチスは絶対悪という主張を相対化するわけだ（アウトバーンの話は学問的に否定されているらしいのだが）。

ポイントは「ナチスは良い」ではなく、「ナチスは良いこともした」ということだ。つまり、「ヒトラー万歳（ハイル、ヒトラー）！　ナチスは素晴らしい！」とファシズムを絶対的に支持しているわけではない。はっきりした主義主張を語らないので、「中身がない」かのように見える。だが、そのいっぽうで、「ナチスは絶対悪」という「リベラル」の価値観は否定したい。自分の意見を積極的に提示して否定するのではなく、相手の主張そのものを宙に浮かせてしまう。足をすくって、転ばせてしまうのである。

かつて、北田さんは「2ちゃんねる」という巨大掲示板におけるアイロニーに満ちたコミュニケーションを分析していた。北田さんによれば、2ちゃんねるのユーザーは「世界において「標準」とされている語り口に距離を取ること自体が目的化」している。その「標準」の「語り口」となるのが、「戦後民主主義」「左翼」「マスコミ」であった。「ネトウヨ」はあくまでも「リベラル」の語り口から距離を取ること＝相対化するために「愛国心」や「大日本帝国」を持ち出すのだ。最近であれば、トランプの人種差別を批判したり、ロシアのウクライナ侵攻を非難する「リベラル」から距離を取るために、トランプやプーチンを支持するわけだ。リベラルを相対化できれば、どんな主義主張にも飛びつく「ご都合主義」なのである。

「それってあなたの感想ですよね」「ブーメランで草」

「(リベラルに当てつけできれば)どんな主義主張でもOK」という点で、アンチ・リベラルは「相対主義」である。当然ながら、デモや抗議活動に参加する人は、主義主張を絶対的に信じているように見えるので、相対化のターゲットにされやすい。

敵の主義主張にツッコミを入れる＝相対化することが目的であれば、そもそもみずからの主義主張を語る必要もない。持つ必要さえない。なまじ根拠を示して主義主張を組み立てると、逆に敵(リベラル)から反撃(相対化)を受けるリスクがある。「中身がない」ほうが身軽なのであって、アンチとして敵を自由自在に叩くことができる。つまり、主義主張を持つこと、唱えること、絶対化すること自体へのアンチとなる。何か主義主張を唱える人がいれば、常にツッコミを入れることになる。

世間で最も知られる相対化の方法は、二〇二二年の小学生の流行語ランキング一位になった「それってあなたの感想ですよね」だろう。二〇一五年に放送されたテレビ番組「ビートたけしのTVタックル」で、2ちゃんねる元管理人のひろゆき氏が、インターネットの悪影響を主張する論客を批判した言葉である。その映像はネットで拡散され、ひろゆき氏が「論破王」キャラを確立するきっかけになった。あなたの主張には根拠がなく、社会一般に通用しない主観的な「感想」に過ぎない、と相対化する。しかも、相手の発言を否定する根拠を自分のほうで示さない。これとよく似た言葉で、アンチ・リベラルが使う「お気持ち」というスラングもある。たとえば、フェミニズムやリベラルの主張に対して、主観的な「お気持ち」を表明しているだけだ、と批判するのである。

ほかには「ブーメラン」というネットスラングもよく見かける。ブーメランは投げると円を描いて自分のところに戻ってくる。ある人が何かを批判したとき、その批判が当の本人に返ってくることをブーメランに喩えている。たとえば、政治家や評論家が何かを主張する。すると、その主張と矛盾するような当人の過去の言動を検索して持ち出してくる。そして、「ブーメランが突き刺さっているｗｗｗ」とか「ブーメランで草」と嘲笑する。またその際に、矛盾した言動をキャプチャーした二つの画像をならべて表示させるので、「二コマまんが」と言われることもある。

もちろん、相手の主義主張を矛盾に陥らせる論法はよくあるものだ。第3章で取り上げたジャック・デリダの「脱構築」もそうだし、古代ギリシャの哲学者ソクラテスは問答を重ねることで相手の主張の矛盾に気づかせた。

たいして「ブーメラン」や「二コマまんが」は、ツイッターなどＳＮＳやネットニュースの過去のログを検索するだけだ。しかし、著作や論文であればともかく、日常の考えなどそこまで一貫しているだろうか。考えは状況や文脈でその都度変化するものだし、周囲の情報をわざと切り落とせば、相手の言動を矛盾しているように見せかけられる。

そのうえ、相手が道徳的にも知的にも信用できない人物のようにイメージ操作できる。「意見がコロコロ変わる不誠実な人物なのだ」「言うこととやることが違うひどい人物なのだ」と。実際にぼくたちの脳は「有言不実行」な人物をあまり信用しないような傾向がある。まあ、しかし、そのいっぽうで、敵を叩くことに夢中になって主義主張がおかしくなる人もいる、という悲しい現実があるのだが。

「それってあなたの感想ですよね」も小学生がマネできるぐらいだから、流行語になったのだろう。「ブーメラン」や「二コマまんが」もごくごくお手軽で簡単な相対化の論法である。とはいえ、より高度な「アンチ・リベラル」になると、他人の主張を相対化ばかりしてないで、リベラルな社会が抱える矛盾点をうまく指摘している。

御田寺圭氏の「かわいそうランキング」

御田寺圭さんというネット論客がいる。通称「白饅頭」。一部のネットユーザーから熱狂的に支持される一方で、「アンチ・リベラル」や「アンチ・フェミニズム」の権化としてめちゃくちゃ嫌われている。たとえば、リベラル界隈では氏のツイッターをフォローしたり、リツイートしたり、「いいね！」したりすれば、謝罪をしなくてはいけないぐらいの罪とみなされている。

「かわいそうランキング」というネットスラングがある。すこし前に御田寺さんが発案したものだ。御田寺さんは「かわいそうランキング」をこんなふうに説明している。

二〇一六年に広告代理店の電通で若い女性の新入社員が過労自殺した事件があった。この事件は大きく報道され、世間の注目を集めた。しかし、同じように過労自殺した男性の労働者はたくさんいたはずなのに、ここまで大々的に報道されなかった。その理由は「かわいそうな弱者」と「かわいそうでない弱者」がいるからだ。ルックスの良い若いエリート女性は同情されるが、「キモくて金のないおっさん」（収入も地位も魅力もない中年男性を意味するネットスラング）は同情されない。リベラルな社会において、彼らのような存在は不可視化され、「透明な存在」として忘れ去られている。

リベラルな社会は弱者にやさしいように見える。しかし、「かわいそうランキング」が歴然と存在している。同情を集められる「かわいそうな弱者」と、まったく相手にされない「かわいそうでない弱者」がいるのだ。アメリカでリベラルに忘れられた白人労働者の支持を受けてトランプ政権が誕生したように、「かわいそうな弱者vs.かわいそうでない弱者」という対立は予断を許さないところまで迫っている、と。

確かに「かわいそうランキング」というスラングはリベラルな社会の矛盾をうまく指摘している。「かわいそう」にはかたよりがある。人間の「共感」にはバイアスがあるからだ。ぼくたちの脳は自分と同じような人間に共感を寄せやすい。同じ人種、民族、性別、年齢の人にどうしても同情してしまう。また、かわいい動物や美しい人間といった多くの人に好まれるルックスであればあるほど、共感を集めやすい。当然ながら、マスメディアは視聴者に好まれるニュースを流すものだ。SNSを利用して感情を動員してきたポピュリズムもバイアスの影響を受けることになる。

また、アメリカの白人労働者層に比べられるような弱者が日本にも存在するという指摘もある。社会学者の吉川徹さんによると、それは「若年非大卒の男性」である。たしかに日本ではジェンダーが大きな格差を生んでいる。しかし、同じく「学歴」も大きな格差を生んでいる。「若年非大卒の男性」は無職や非正規雇用も多く、収入も低い。若いのでまだ健康だが、酒を飲み、たばこを吸う人も多く、健康リスクを抱えている。くわえて、自己責任的な考え方を強く持っていて、政治に参加する意欲も乏しい。しかも同じ「学歴」を持つもの同士で結婚する傾向がある。大卒は大卒と結婚して、子供も大学に進学する。非大卒は非大卒と結婚し、その子供は大学にはあまり進学しない。すると、ますます格差が固定化される。「ジェンダー」には社会的な関心が寄せられる（もちろん、その格差が是正されたとは言い難いが）。それと同じぐらいに「学歴」による不平等にも注目が集まるべきだ、と。

たしかにそういう人たちの苦境や困難はあまりかわいそうだとは思われない。「共感」や「同情」をもとにしたリベラルな政治運動が持つ矛盾をうまく指摘している。その一方で、御田寺さんは「かわいそうな弱者vs.かわいそうでない弱者」という対立が不可避であるように煽っている。しかし、それは間違いだとぼくは思う。

たとえば、こんな感じで描かれている。「すべての構造はやがて「強者vs.弱者」や「富裕層vs.貧困層」「マジョリティvs.マイノリティ」といった、勧善懲悪的あるいは階級闘争的な構造を超えて「かわいそうな弱者vs.かわいそうでない弱者」へと変移していく」とか、「「助ける対象を自由に選べる社会」とは「助けない対象を自由に排除できる社会」と同時発生的である」とかだ。

だが、本当にそうなのか。「かわいそうな弱者」が助かりたければ、「かわいそうでない弱者」を本当に見捨てるしかないのか。ぼくたちの世界は沈みゆく船なのか。数人しか乗れない救命ボートが目の前に浮かんでいる。そんな世界なのか。誰かを排除しなければ誰かが助からないほど、資源が限られているとは決して思えない。たとえ救命ボートのような究極の選択が迫った緊急事態であっても、全員が助かる方策を絶えず考えるべきだろう。

「かわいそうな弱者」と「かわいそうでない弱者」が、社会の少ないリソースを奪い合う。なぜこのような「ゼロサムゲーム」として描かれるのか。その理由の一つは「ゼロサム・ヒューリスティック」という認知バイアスである。ぼくたちの脳は、誰かが得をすると誰かが損をするとみなす傾向がある。女性の支援を訴えるフェミニズムが、何か損をした気持ちになった男性から反発を受ける理由である。

もう一つの理由は注意経済が「ゼロサムゲーム」だからだ。注意経済はユーザーの限られた「可処分時間」を奪い合っている。また、人々が同じ時期に重要だと考えるアジェンダ（争点）には限りがある、という説がある。五つから七つの争点まで、という研究者もいれば、四つの争点で限界だという意見もある。つまり、政治的な争点についても、注意を奪い合うゼロサムゲームなのである。たとえば、政権の支持率が危険水域にまで下がると、芸能人が逮捕される、北朝鮮がミサイルを撃つ、という陰謀論が存在する。たしかに別の大事件が起きれば、政権の不祥事から世間の関心がそれてしまう。ゼロサムゲームであることを多くの人が直感しているわけだ。

たしかに注意経済はゼロサムゲームだ。ＳＮＳを利用する政治運動もその競争に巻き込まれている。「かわいそうな弱者」に注目が集まると、「かわいそうでない弱者」

には注目が集まらない。ぼくたちの注意にはバイアスがあるし、リソースも限られている。当然ながら、SNSを利用して共感を集めるリベラルな政治運動にはかたよりが生じる。その政治運動によって政策が実現されれば、ぼくたちの注意のバイアスが政策自体にも反映されることになる。

その意味で「かわいそうランキング」はぼくたちが生きるこの社会の矛盾をうまく指摘している。しかし、「かわいそうな弱者」と「かわいそうでない弱者」が奪い合うほど、社会全体のリソースが少ないわけではない。御田寺さんは注意経済と社会の次元を混同させている。そのため「かわいそうな弱者 vs. かわいそうでない弱者」が対立せざるをえないように描いている。その結果、リベラルやフェミニズムに反感を持つ人々の本能に訴えかけて、「アンチ」として「われわれ」を結託させてしまう。リベラル＝敵を叩いて、部族主義的な喜びを与えることになる。

アンチ・リベラルはリベラルとよく似ている

ところで、御田寺さんの本を読んでいて、とても興味深く思ったことがある。御田寺さんは「アンチ・リベラル」や「アンチ・フェミニズム」の権化とみなされるが、彼の文章は敵であるはずの「リベラル」とよく似ている、ということだ。「かわいそうランキング」を論じた著書でも「声なき声」「透明化された人びと」「承認の分配」

「包摂されなかった弱い者」「サバルタン」などなど、フェミニズム、社会学、ポストコロニアル研究といった「リベラル」なアカデミズムの言葉が使われる。しかも、これらのジャンルの最近の一般書籍が読者の共感を誘うためにとても感傷的な文体になりがちなところまで、そっくりなのである。ほとんどリベラルな価値観に基づいた言説なのだ。だったら、それこそ「かわいそうな弱者」と「かわいそうでない弱者」の対立を煽ることはせずに、両方の弱者の「声なき声」を届けて、どちらも社会的に「承認」されて「包摂」されるように主張するべきだろう。

しかし、これは御田寺さんにかぎらず、「アンチ・リベラル」の主義主張は「リベラル」とよく似ているのである。たとえば、インターネットには「表現の自由戦士」や「弱者男性論客」といわれる「アンチ・リベラル」がいる。表現の自由戦士とは、萌え絵の公共ポスターの使用問題などで性的な表現への規制に反対する人たちだ。弱者男性論客は「男はつらいよ」と男性の貧困や性愛の問題を強く主張する人たちだ。いずれも、リベラルやフェミニズムの主義主張に反発することが多い。しかし、表現の自由戦士にしろ、弱者男性論客にしろ、彼らが唱えるのは「(エロの)表現の自由」であったり、「(弱者男性の)社会的包摂」といったリベラルな言説を一部組み替えたものだ。

ネトウヨもリベラルっぽいことをいう。ネトウヨはよく自分たちこそが真の弱者なのだと主張する。つまり、社会福祉や援助を受けるマイノリティは、弱者を優遇する特権を得ている「強者」である。たいして、マジョリティであるぼくたちは、このような特権を得られない。むしろ、不当な差別を受けている「弱者」なのだ、と。あくまでも彼らの頭の中の話なのだが、興味深いのは、「弱者を助けるべき」とか「差別はいけない」とリベラルな価値観を利用していることである。

「アンチ・リベラル」は、リベラルの言説を都合よくパクっているわけだ。最近の例を挙げると、二〇二二年七月に安倍晋三元首相が射殺されたとき、元ライブドア社長でタレントの堀江貴文さん（ホリエモン）が「反省すべきはネット上に無数にいたアベガー達だよな。そいつらに犯人は洗脳されてたようなもんだ」と発言したことがあった。「アベガー」とは「安倍が（悪い）」と批判する「リベラル」を揶揄したネットスラングである。

つまり、リベラルは安倍首相を口汚なく非難するなど攻撃をくりかえした→マスコミはデモや抗議活動の様子を何度も報道した→その結果、犯人が憎しみを募らせて凶行にいたった、というわけである。当時は容疑者の情報が全く判明していなかったので、ホリエモン以外にも多くのネトウヨが「アベガーが安倍暗殺の原因だ」と発言していた。

よく見ると、「アベガーが安倍暗殺の原因だ」というネトウヨのロジックは、「ネトウヨがヘイトクライム（憎悪犯罪）の原因だ」というリベラルの批判をパクっている。ネトウヨが排外主義的な言説をくりかえしている→安倍政権は排外主義に断固たる姿勢を見せず、インターネットに排外主義的な言説が蔓延した→その結果、犯人は在日外国人への憎しみを募らせて、ヘイトクライムを起こした……というのがリベラルの批判だ。たいして、ネトウヨは、政権を口汚く批判することとマイノリティへのヘイトスピーチを混同させたうえで、敵＝リベラルの主義主張を都合よく横領している。

しかし、「アベガーが安倍暗殺の原因だ」という論法は、ネトウヨにとって不利な結論に行き着く可能性がある。本当に「アベガーが安倍暗殺の原因だった」とすれば、リベラルの批判やメディアの報道によって犯罪が引き起こされた、と暗に認めることになる。すると、ネトウヨがくりかえすヘイトスピーチによって、犯罪が引き起こされたことも認めなくてはいけないはずだ。リベラルへの攻撃が、ネトウヨにそのまま戻ってくる可能性がある。さっきの言葉で言うと、「ブーメランで草」なのである。とはいえ、そんな矛盾を気にしないところが、主義主張なんかどうでもよくて、その場その場の出まかせ、という印象を与えるのだ。

「敵」の主義主張のパロディ

しかし、どうしてアンチ・リベラルがリベラルの主張とそっくりになるのだろうか。

これにはさまざまな理由が考えられる。たとえば、時代が経つごとに暴力が減少し、若い世代になればなるほど同性愛に寛容になるなど「世界のリベラル化」が指摘されている。ぼくたちの生活の隅々までリベラルな価値観が浸透してきている。そのため、アンチ・リベラルの主張であっても、リベラルな価値観に依拠せざるをえない。

もしくは、リベラルを敵とみなして、アンチ・リベラルの「われわれ」を結集させるためかもしれない。ぼくたちは「あいつら」を否定することで、「われわれ」を結集させる。敵＝リベラルとのちがいを出す最も簡単な方法は、リベラルとさかさまのことを言えばいい。リベラルが賛成といえば、反対。◯といえば、×。マイノリティが弱者だといえば、いやいやマジョリティのほうが弱者だ。女性がつらいといえば、いやいや男性のほうがつらい、と。相手が右手を上げれば、こちらは左手を上げる。あたかも鏡に映ったような関係になる。リベラルを鏡像にして、アンチ・リベラルのわれわれを作り上げるから、ちょっとちがうがよく似た言説になる。

「◯◯の逆張りをしておけば正解」という言い方もちらほら見かける。たとえば、「野党は政権を批判したいだけだから、野党の逆張りをしておけば正解」とか「朝日新聞の逆張りをしておけばOK」というふうに使われる。◯◯に入るのは「敵」とみなしたものたちだ。つまり、アンチとして「リベラル」とさかさまな言動をとっていることになかば自覚的なのである。

もっと意図的な、戦略的な模倣の可能性もある。政治の世界では敵対勢力の手法をマネして、勢力を拡大することはよくある。近年、オルタナ右翼と呼ばれる人たちがネットで盛んに活動しているが、経済の領域ではなく、文化や教育での闘争を重視したマルクス主義の理論の影響を受けているらしい。当然、アンチ・リベラルは、リベラルの主義主張を日頃から粗探ししているから、その論法を流用・横領することぐらい、簡単なことだろう。コスパ（コストパフォーマンス）のいい戦略だと言える。

最後に考えられるのは、リベラルの主義主張のパロディ、というものだ。リベラル＝敵の主張をパクって、リベラル＝敵を批判してみせる。敵の仕草や論法をわざとマネして、リベラルを嘲笑しているわけだ。アンチ・リベラルの目的は、リベラルの言説をいかに相対化するかということだった。であれば、みずからの主義主張を披露する必要はない。逆にツッコミを受けるリスクを抱えてしまうからである。

しかし、それを避ける方法がある。他人によって相対化されるまえに、みずからの手で自分の主義主張を相対化すればいい。もし、ぼくが御田寺さんのような「アンチ・リベラル」の論客だったとして、リベラルから自分の主義主張を批判されたとしたら、こういうふうに切り返す。

「あれ？　なにマジになって反論しているんですか？　もしかしてお気づきでいらっしゃらない？　私が言っていることは全部、あなたたちリベラルの言っていることのパロディですよ？」

「パロディ」性を最大限に活かして、リベラルのツッコミからの逃げ道をつくっておく。しかもそれは、みずからの主義主張までも相対化している点で、主義主張を持ったり唱えたりすること自体への「アンチ」になる。

もちろん、パロディや皮肉、アイロニーはなかなか伝わりにくいものだ。この狙いに気づかない信者＝カモも多いだろう。そういう信者を喜ばせるために、ウルッとくるような感傷的な文体を使ったり、敵＝リベラルを激しく罵って部族主義的な本能も刺激する内容にしておく。そのいっぽうで、わかる人にはわかるように、リベラルの主義主張、論法やキーワードをパクって、悪意に満ちた模倣をすればいい。リベラルの主義主張をすでに熟知しているはずだし、何よりもコスパが良い。そして、リベラルからのツッコミがきたときに、「あなたがたのパロディですよ」と言えば、「無敵の論客」になれる。もしかしたら、ぼくの深読みかもしれないが、それぐらい「アンチ・リベラル」とリベラルの主義主張はちょっとちがうだけで、似ているのである。

第5章

「他人からええように思われたいだけや」

動機を際限なく詮索するシニシズム

「社会から安心、尊敬、信頼される人間を育てる」

ぼくは自分のことをシニカルな人間だと思っている。冷笑主義はさまざまな意味で使われるが、一般的な解説書をひらくと「人間を利己的な動機しか持たない私欲の塊と考えて、人間の誠意や高潔さを冷笑する態度」と説明されている。たとえば、この本でも、人間の心理を進化の観点から解き明かす進化心理学の知見を使っている。他人を助ける道徳的な行為も、利己的な動機によるものだ、と考えるので、「シニシズム」だといえる。まあ、正確に言うと、利己的なのは人間ではなく、「利己的な遺伝子」(ドーキンス)がそうさせる、と考えるのだが。

たしかに社会正義を訴える「リベラル」は冷笑主義のターゲットになりやすい。最近はデモなどの政治運動に否定的な人間は「冷笑系」と呼ばれたりする。しかし、どうも現実主義的な冷静な態度も、「冷笑系」と言われることがあるようだ。とくに政治運動への悲観的な見通しを語ると、運動自体を否定しているとみなされる。

たしかに必ず成功するという自信がなければ、行動や決断はできないものだ。絶対にできると思いこまなければ、できるものもできるようにならない。楽観的であることも必要である。しかし、絶対にできると思い込んだからといって、できるわけではないのが現実というものだ。

政治運動に熱心な人には、どうも現実を甘く見て、成功できる可能性を高く見積りすぎている人がいる。選挙の投票率があがるだけで自分の党派が勝てると思い込んでいる。世界のどこかでデモや暴動が起きると、やれ革命だのやれ蜂起だのとすぐに騒ぎ立てる。新しいムーブメントがすぐそこまで来ているといって、多くの人を運動に引き込もうとする。とくに左翼とかアナキストに多いのだが、煽るだけ煽ってどうも後先のことを考えていない。革命なんて不可能と思えるぐらいに滅多に起きないからこそ革命なのであって、そんな甘言で人をたぶらかしていいのか、とぼくなんかは思ってしまう。

思考と決断は緊張関係にある。だが、両立できないわけではない。実現する可能性がほぼないと分かっていても、チャレンジはできる。だから、悲観的に考えて、楽観的に行動する、というのがベストである。しかしどうも楽観的な空理空論で騒ぐ人々に囲まれてきたせいか、悲観的なことばかりを強調するクセがついてしまった。そういう意味ではぼくも「冷笑系」かもしれない。

自分の人生を振り返ってみると、高校生のころにはシニカルな人間に仕上がっていた。わが母校は「自称進学校」だった。生徒はあまり賢くない。偏差値もさほど高くない。けれども、大学への進学実績を上げようと、課題や補習が多い。校則が理不尽に厳しく、生徒会や文化祭もない。生徒をガチガチに管理して、まったく自主性を尊重しない。「自称進学校」というネットスラングはさまざまな意味で使われているが、ぼくはこういうふうに解釈している。

わが母校を知る人に「自称進学校」という話をすると、「いやいや、そんなことはない。立派な学校だよ」とフォローしてくれる。とはいえ、働きはじめて名門校の出身者と話す機会が多くなった。全国的に名前が知られる超難関校で、由緒ある歴史があって、生徒はもちろん優秀で、文化祭や部活動にも熱心。制服もなく、自由を重んじる校風みたいな感じである。そういう人たちの学園生活を聞くと、やっぱりちがうなあ、と思わざるをえないのだ。

わが母校で最も嫌いだったのは、頭髪検査だった。男子は基本的に丸坊主、長髪はカリアゲを条件に許されていた。いまではツーブロックみたいな髪型は珍しくないが、当時は青々としたカリアゲが、『サザエさん』のタラちゃんみたいで恥ずかしかった。そのせいで散髪が嫌いになり、いまでも年に一、二回しか切らない。たいして、名門校の卒業生が「高校時代から髪染めてました、ピアスもＯＫでした」みたいな話をするわけで、あまりのちがいにびっくりしてしまうのだ。

「社会から安心、尊敬、信頼される人間を育てる」――これがわが母校の建学の精神である。なぜ、いまだに覚えているのか。学園の創始者がえらいお坊さんで、週に一度は「宗教」の授業があり、学園の成り立ちや教育理念を叩き込まれたからである。そのお坊さんが建学の精神を語った説法はＣＤに録音され、授業で座禅を組まされるあいだ、何度もくりかえし聞かされたのだ。だから、頭にこびりついている。

高校生だったぼくは、この説法にいろいろと疑問を感じていた。わが母校はたばこを吸うと一発で退学処分だった。お坊さん曰く、その理由が「たばこ銭として無駄遣いをしてはダメだから」だった。経済力が豊かな人間になるために普段から質素倹約しなくてはならない。だから、「たばこ銭」のような無駄遣いをしてはならない、というのである。

ほかにも疑問があった。わが母校は生徒同士の金銭の貸し借りを禁止していた。その理由は「命取りになるから」だった。社会に出れば、借金をする機会も出てくる。しかし、個人からお金を借りると、「命取りになる」ために強く戒めている。なるべく銀行でお金を借りて、期日のまえに返済するように。そうすれば、借金は信用という大きな財産に変わる。こういうのである。

なぜ、お金の話ばかりなのか。「未成年の喫煙は禁止されているから」「健康に有害だから」という理由なら、まだわかる。「借金は友人関係を壊すから」という理由なら、まだわかる。

そのほかにも、お坊さんは勝負に勝つことに異様なまでに執着していた。「スポーツの試合は必ず勝て」「試験は最高得点でパスせよ」「選挙に出たらトップで当選すべし」と熱く語っていた。そして、勝負事ではないことまで勝ち負けに喩えて話すのだった。「人生の勝利者になるためには、健康でなければならない」「激しい生存競争の中で幸福になれる唯一の方法は、コツコツ努力することだ」と。

そもそも学園の理念や教育の方針を語るのが「建学の精神」である。ほかの学校を見てみると、「豊かな人間性を育む」「知・徳・体のバランスの取れた人間」といった目指すべき人間像を提示している。しかし、なぜわが母校はお金や勝負の話ばかりなのか。「社会から安心、尊敬、信頼される人間を育てる」という建学の精神も、「あらゆる競争に勝って、お金持ちになりなさい」という話にしか聞こえなかった。

どこがえらい坊さんやねん、生臭坊主ちゃうんか、と高校生のぼくは思っていた。

すると、普段の授業でも「平和が大事だ」とか「社会のために私たちができること」

みたいなちょっといい話を聞かされても、素晴らしい理想であればあるほど、どうも信じられなくなった。人間の誠意や高潔さを信じず、私欲の匂いを嗅ぎつけるシニカルな態度を身につけていった。

もともと、厳しい校則で押さえつけて、生徒を管理したがる校風にムカついていたし、「生徒のためではなく大学の進学実績を上げたいだけなんやろ、ほんまにクソやな」と耐えがたくなって、「社会から安心、尊敬、信頼される人間には絶対にならない」と心に誓って退学した……というのは、まあ半分は嘘で、実際は不登校になって出席日数が足らなくなり、留年が確定したので退学することになったのだった。

厨二病的シニシズム

こうやってシニカルな人間が誕生した。しかし、いまふりかえると、ただの「厨二病（中二病）」だった気もする。「厨二病」とは、中学二年生のころにとりがちな、何ごとにも斜に構えて、自分は他人とちがう特別な存在だとアピールするような言動である。不良に憧れを抱いたり、マイナーな音楽を聴いたり、自分には特殊な力があると空想したりする。

「大人はきたない」――反抗期に差しかかった子供がよく口にする言葉だ。社会には本音と建前がある。物事には裏表がある。大人の言うこととやることが違っている。

そのことに気づいて、許せなくなる。すると、大人が何かきれいごとを語っても、その裏にあるきたない私欲を指摘したくなる。「厨二病的シニシズム」の完成である。

厨二病的シニシズムは、子供っぽい純粋さを持っている。たとえば、高校生のぼくはボランティアなどすべて偽善だと思っていた。社会のためではなく、単なる自己満足。「他人からええように思われたいだけや」と。まさに「シニシズム」である。しかし、逆に言うと、シニカルな人間にとって、自分のすべてを費やすほど自己犠牲をしないかぎり、ボランティアを含めてあらゆる社会運動は「偽善」となってしまう。それではあまりにも理想が高すぎる。

シニカルな人間はきれいごとをバカにするくせに、きれいごとを人一倍に信じているところがある。だからこそ、きたない私欲を持つことが「偽善」として許せなくなる。普通に考えて、人間は複数の動機を同時に持つものだ。きれいな願いも、きたない私欲も。人助けをしたい。自分がただやりたい。他人からええように思われたい。これらの動機は矛盾なく両立する。私欲だけがすべての動機ではない。清濁をあわせて呑めるようになってこそ、大人というべきではないか。

ぼくがわが母校に反発したのも、「お坊さんや建学の精神ならばこうあるべきだ」という高い理想を信じていたからだ。高校生になっても、ぼくはいまだ厨二病だったのかもしれない。「逆張り」をする人間は「厨二病」が治っていない、とネットではよく言われる。たしかに、自分は特別な存在だとアピールする「厨二病」と、多数派とあえて逆の道をいく「逆張り」は相性がいい。

また、「冷笑」をする人間も「厨二病」だとよく言われる。冷笑主義はリベラルな政治運動を嘲笑するだけでない。社会正義を唱えるリベラルの私欲＝利己的な動機を暴露して、その主義主張を相対化しようとする。そして、「有言不実行」で道徳的に不誠実な人間だとイメージ操作する（第４章）。たとえば、あるＮＰＯは若者への貧困支援をうたっているが、実は貧乏人を食いものにして私腹を肥やす「貧困ビジネス」だったのだ、とかである。たしかに、このような冷笑主義的な暴露は、きれいごとを語る大人のきたなさを嗅ぎつける「厨二病的シニシズム」と似ている。

斜に構えるシニカルな人間はかしこく見える。まわりの人よりも優秀に見えるから、「厨二病」とも結びつきやすいのだろう。だが、こんな研究もあるようだ。多くの人はシニシズムとかしこさを結びつけるが、しかし、実際にはシニカルな態度と知能の高さはあまり関係ない。それどころか、かしこい人ほどあまりシニカルではなく、シニカルであればあるほど頭が悪くなる、という話もあるらしい。その理由は、なんでもかんでもシニカルに疑ってかかるので、自分に必要な情報や知識を得られないから、というものだ。

資本主義社会の耐えがたさ

この本を書くために、実家の押し入れにあったわが母校の学校案内を読み返したり、学園の歴史なんかを調べていた。いまとなっては、創立者のえらい坊さんが、なぜあそこまで金銭や勝負に執着したのかを推測できる。やはり、歴史の浅い「自称進学校」だったからだと思う。歴史ある名門校の生徒は裕福な家庭の子供が多い。高等教育に進むひとが少なかった戦前に創立されたのであれば、なおさらそうだ。お金を大事すること、勝負には必ず勝て、としつこく話をする必要はない。生徒たちは初めからお金持ちで勝者だからだ。

まあ、わが母校はそうではなかった。それほど優秀ではない中産階級の子供たちが生徒だった。とくに設立当初は、公立高校に入学できない落ちこぼれが通ったらしい。勝者になるか、敗者になるか、その境界線上にいる子供たち。だから、いろんなところで生徒を管理しようとするわけだ。思い返してみると、お坊さんの説法は社会のきびしさをすごく強調していた。しかも独特の表現だったので、今でも記憶に残っている。

「生きた馬の目をくり抜くような、ケツの毛までむしりとるような、厳しい社会であります」

高校生は「ケツの毛」みたいな言葉に過剰に反応する。この部分をマネする生徒もいた。「ケツの毛までむしり取られる」ほどの資本主義社会の勝者になるためには、借金は「命取りになる」と気を付けて、「たばこ銭」を惜しんで経済力を豊かにしなくてはいけない、と。

　建学の精神を語った説法にはこんな続きがあった。えらい坊さんは「自利利他の精神で生きなさい」と説教していた。他人のためだけに生きるのは難しい。聖者のような人間にしかできない。かといって、自分のためだけに生きるのは悪人である。だから、われわれのような凡人は、自分のためになることが、世のため人のためになるように生きなさい。しっかりとした経済的な基盤を確保したうえで、「自利利他の精神」を持って生きること。これが「社会から安心、尊敬、信頼される人間」なのである、と。

　お金儲けすること（資本主義）、勝負に勝つこと（能力主義）、他人のために尽くすこと（利他主義）。これらは対立することもあるが、いまの社会を成り立たせるには互いに必要とする。いや、むしろ、三位一体となって初めてより良い持続可能な資本主義社会ができあがるのだろう。最近では「ソーシャル・ビジネス」がブームになったり、「利他」という言葉も耳にする機会が増えた。多くの人が「社会から安心、尊敬、信頼される人間」になろうとしている。

　いやあ、ほんま素晴らしいです。若いころは反発してましたが、この歳になってようやくご説法のありがたさがわかるようになりました……とは残念ながら全然思わない。いまだ「厨二病」が治ってないのかもしれないが、高校生だったころよりも増して、ほんまにクソやな、と耐えがたく感じてしまう。そういう「安心、尊敬、信頼」は銀行がお金を貸してくれる程度の「安心、尊敬、信頼」でしかないし、資本主義社会を持続させるための道徳を説いてまわる宗教ってなんなんや、やっぱり生臭坊主やんけ、と思ってしまう。社会から安心、尊敬、信頼される人間には絶対にならない、と誓った高校生のぼくは正しかった、とあらためて確認したのだった。

この耐えがたさをうまく理屈にするすべがぼくにはないので、大多数の読者にはわからないと思う。ぼくもわかってもらおうと思ってないので、以下の言葉は感性の違いなのだと聞き流してほしいが、資本主義社会から安心、尊敬、信頼される人間になる耐えがたさとは、あらゆる安心尊敬信頼がお金に換算されてしまう耐えがたさであり、働く大人の昼ごはんを紹介するテレビ番組が経営者のランチばかりを紹介する耐えがたさであり、社長の手料理を食べさせられる社員の微妙な表情が映し出される耐えがたさであり、世界的なアーティストたちが京都の料亭で会食してこれからは肉食を減らしていこうとうなずき合う耐えがたさであり、大企業の創業者が接待と称して吉野家の牛丼を食べさせることがあたかも美談として語り継がれる耐えがたさであり、この耐えがたさがわからない人間は総じてクソだがなんの屈託もなくソーシャル・ビジネスとか宣(のたま)う恥知らずがご高説を垂れる耐えがたさであり、新自由主義に抵抗するためにケアする配慮する勇気づけるエンパワーメントする贈与するという利他を説く大学の先生が世に送り出す学生は企業にぴったりの資本主義社会から安心尊敬信頼される人材である耐えがたさであり、毎朝決まった時間に起きて同じ時刻の通勤電車に揺られるがいつ帰れるかはわからない耐えがたさであり、住民税が払えずに給付金が支給日にサシオサエとして引き落とされる耐えがたさであり、行きつけの飲み屋街がタワーマンション開発のために取り壊される耐えがたさであり、年収が足りず保証人もおらず住処が見つからないまま退去の期日が迫る耐えがたさであり、大型トラックが行き交う道路で若い野良猫が轢(ひ)き殺される耐えがたさであり、精神状態は経済状況に左右されるから患者に障害年金を取得させることが年金療法と精神科医に裏でささやかれお金でうけた傷は結局お金で癒やされるしかない耐えがたさであり、このような耐えがたさから逃れることは容易ではなく毎日その耐えがたさのなか糊口(ここう)をしのがねばならない耐えがたさである。

　しかし、よくよく考えると「シニシズム」は資本主義が前提とする人間像を過度に内面化している。シニシズムは人間を利己的な動機しか持たない私欲の塊とみなすが、それは資本主義が前提とする利己的な人間(ホモ・エコノミクス)と近いものだ。だからこそ、学校という理念や建前のきれいごとの空間から、きたない資本主義社会が垣間見えることへの混乱によって、「厨二病的シニシズム」は発生するといえる。また、リベラルな政治運動を嘲笑するのは、シニシズムからすると、リベラルの資本主義の内面化の不徹底ぶりががまんならないのかもしれない。あなたたちも資本主義を認めているくせに、それが貧困や格差を生むと途端に大騒ぎして、社会正義とか唱え出すのか、とリベラルの欺瞞を暴露してまわるわけだ。もちろん、欺瞞的なリベラルを批判することは必要だし、ぼくもシニカルな人間であるけれど、こういう資本主義的な利己的な人間を過度に内面化した「シニシズム」はやはり耐えがたいものだ。

リベラルは流行しやすい

ここまでくると「逆張り冷笑おじさん」というスラングが「アンチ・リベラル」の特徴をそれなりにうまく表現していることがわかる。「冷笑主義」は多くの人が大切だと信じている良識や理念を斜に構えてとらえるのだから、まさに多数派とは逆の道を行く「逆張り」である。しかも、社会正義を熱心に説くリベラルが冷笑のターゲットにはなりやすい。そして、かつての2ちゃんねるでは、このようなリベラルな語り口から距離をとる=相対化することを目的とした、アイロニカルなコミュニケーションがよく行われた。ちょうどそのころの2ちゃんねらーはいまだと（いまでも？）「おじさん」と呼ばれる年齢になる。まさに「逆張り冷笑おじさん」である。

とはいえ、シニカルな視線が批判として有効に機能するケースもある。人種差別や社会正義に敏感な人たちを揶揄する「目覚めた人（ウォーク）」という呼び方がある。差別的な過去の発言を取り上げて糾弾する「キャンセルカルチャー」という言葉も広まった。アメリカのオバマ元大統領が「ウォーク」を痛烈に批判したことがある。自分がいかに「ウォーク」なのかをアピールしたいために、SNSで過激になって、ハッシュタグをつけて他人を道徳的に非難している。インターネットで気に入らない者を叩いて、いい気分になっているだけでは社会は変わらない、と。

たしかに、リベラルの主義主張は自己アピールの道具になっているし、トレンドや流行として消費されている（「Z世代」なんてその最たる例だ）。リベラルの主義主張は流行化しやすい。リベラルの考えは国や文化のちがいを超えて広がるし、若いひとほど新しいものを受け入れやすい。またリベラルには新しい物好きが多い。生まれついての性格が政治的な立場に与える影響を示す研究がある。よく知られているのは、新しい物好き（ネオフィリア）であればリベラルに、新しいもの嫌い（ネオフォビア）であれば保守になりやすい、という説だ（その結果、新しい流行を受け入れにくい「おじさん」や「老害」への非難も流行する）。

ハリウッドスターといったセレブが、フェミニズム、人種差別、エコロジー、動物愛護について積極的に発信している。日本の芸能人にもリベラルっぽい発言をする人はちらほらいる。とはいえ、タレントの石田純一氏のように国会前デモでスピーチして芸能界から干されてしまうひとは尊敬するけれど、リベラルなイメージを芸能活動のために利用しているのがほとんどである。ぼくたちは集団内の多数派やえらい人を無意識にマネしてしまう。どうやら芸能人といったテレビでよく見かける人をえらい人だとぼくたちの脳は勘違いするらしい。その結果、有名人の言動を多くの人がマネをして、流行やトレンドが生まれていく。

さらにSNSという環境が流行を加速させていく。SNSはぼくたちの評判を気にする本能を利用して、ぼくたちの人生の一部をコンテンツとして差し出させる。そのコンテンツを多くの人が消費する。そうやってSNSは収益をあげて、その利益の一部を自己アピールするユーザーに還元する。手の込んだ料理、今日のファッション、乗っている車、鍛えた筋肉、部屋の掃除、手際のいいお弁当づくり、一〇〇歳近いおじいさんの介護、発達の遅れたわが子の育児、余命宣告をされたがん患者の闘病……ぼくもめずらしいお酒を飲んだとき、他人からええように思われたいから、その画像をSNSにアップしたくなる。「いいね！」や「シェア」されることを期待して、リベラルな主義主張を利用した自己アピールも加速していくわけだ。

とはいえ、オバマ元大統領の批判はかなりシニカルでもある。もっと露悪的に言うと、「「いいね！」と評価されたいから、正義を唱えているんでしょう？」になるからだ。もちろん、オバマ元大統領は「逆張り冷笑おじさん」ではない。その批判は政治運動全般を否定したものではない。きれいな願いも、きたない私欲もあわせて人間である。リアルでもネットでも使えるものは使えばいい。何かを学ぶことはマネることから始まるものだ。

しかし、インターネットは、ぼくたちの本能を刺激して、その不合理な部分を増長させるのも、たしかである。リベラルが流行したから、つまり、多くの人が「リベラル」に「順張り」しているから「逆張り」が嫌われる。自己アピールだけになっている「リベラル」への的確な批判になっているから「シニシズム」が嫌われる。そういう面もあるはずだ。

猜疑心あふれるネット迷探偵たち

「冷笑主義」は人間には私利私欲しかないと考える。そのため、複雑な現実を利己的な動機が原因とする「物語」にしてしまう。この物語をつくり上げるために、あらゆるものを疑ってしまい、その結果、自分に必要な情報や知識が得られなくなる。当然ながら、世界を支配する利己的な集団＝黒幕が存在するといった「陰謀論」とも結びつきやすい。

「冷笑主義」を批判する人には、政治運動に熱くコミットする大切さを説く人もいる。とはいえ、ＳＮＳを活用したポピュリズムの流行の背景には、たくさんの情報を前に思考停止した「この道しかない」の「絶対主義」があるのだった（第2章）。そうなると、同じように自分に必要な知識や情報が得られなくなってしまう。

というか、政治に熱心に参加する人々のなかにも、本人は気づかないだけで、かなりシニカルなものの見方をしているケースもある。ぼくたちは自分にとって都合のよい「物語」をつくるために、目の前の現実を都合よく疑うところがあるからだ。

むかし、こんなことがあった。ある批評家がまだ出版されていないぼくの本をボロクソにこき下ろしていた。出版社の新刊のお知らせを見ただけで怒っていた。まあ、小田嶋隆さんの一件のように、奇を衒ったタイトルをつけがちなぼくにはよくあることだ。

自分のことを悪く言われたら、どうしても言い返したくなる。しかし、ある時期からツイッターでは言い争いはしないと決めていた（このときはがまんできた）。カッとなって書き殴った文章は非常に危ないからだ。はやとちりしたり、罵詈雑言が飛び出てしまう。そんな些細なミスを鬼の首をとったように言いふらされてはたまらない。

なので、あれこれ言われているのを黙って見ていた。すると、別のネットユーザーがその批評家を「読まずに批判するのはおかしいじゃないか。批評家ならばきちんと読んだうえで発言するべきだ」と非難しはじめたのだ。至極真っ当である。「ネットにもちゃんとした人はいるもんだ」と感心していたら、そのユーザーはぼくにもメッセージを送ってきた。「綿野も黙ってないので、きちんと反論しろよ。言葉にたずさわる仕事をしてるんだろ」と。

おっしゃる通りです。しかし、なるべく言い争いはしたくない。何もせずに黙っていた。そのあともしばらく、ネットユーザーと批評家のバトルは続いた。すると、その批評家が自分を非難するネットユーザーを指して、こんなことを言い出したのである。

「このアカウントは綿野が自作自演しているんじゃないか」

つまり、ぼくがわざわざ別名義でアカウントを取得して、無関係のユーザーになりすまして、自分のことを批判している。そう疑っているのである。さすがにぼくもそこまではしない。

「よう坊主知ってるか？　怪盗はあざやかに獲物を盗み出す創造的な芸術家だが、探偵はその跡を見て難癖つける、ただの批評家にすぎねーんだぜ？」――これは『名探偵コナン』（青山剛昌作）の人気キャラクター怪盗キッドのセリフである。たしかに批評家は探偵によく喩えられる。探偵は犯行現場に残されたわずかな手がかりから、犯人を見つけ出す。同じように批評家も小説を読み解いて、隠された真実を暴露する。隠された真実とは、女性差別、人種差別、植民地支配、帝国主義といった「犯罪」かもしれない。幼少期のトラウマ、階級的な不安といった、小説家自身でさえ意識しない「動機」かもしれない。

探偵＝批評家はとても疑り深い。犯人の動きを先回りし、犯行の現場を取り押さえる。あらゆるものを疑い、隠された真実を暴露する。しかし、近年、このような批評のスタイルは「懐疑の解釈学」と呼ばれて、力を失ったという指摘がある。とはいえ、さっきのエピソードの疑り深さは、探偵＝批評家の「懐疑」とはどこか違う。インターネットのやりすぎで身につけた「猜疑心（さいぎ）」に近い。どうも、ネットには他人をむやみに疑う「猜疑心」を増長させるところがある。

「うそはうそであると見抜ける人でないと（掲示板を使うのは）難しい」――2ちゃんねるの元管理人のひろゆき氏の有名な言葉だ。ぼくが中学生だった二〇〇〇年代初め、2ちゃんねるはアングラっぽくて恐ろしい空間だった。いつだまされるかわからない怖いところだった。

たとえば、なにもわからない初心者をだまして、名前欄に「fushianasan」と打ち込ませるイタズラが流行した。打ち込むとリモートホストが表示されて、どこからアクセスしたか、わかってしまう。新聞社やテレビ局の人間が引っかかっていた。

名前も顔も見えないインターネットは、他人をだますハードルを著しく下げる。ぼくたちの脳は自分の集団内の自分の評判を高めるために、人間は道徳的にふるまう。ぼくたちの脳は自分の評判をとても気にするようにプログラムされている。かつて人類が小さな群れで暮らしていたころ、悪い評判が立つことは死に直結した。群れから排除されて、最悪の場合は殺されてしまう。人類はゴシップや噂話を通じて、誰が信頼できるか否かという情報を共有した。

　ぼくが町内会の掃除やドブさらいにいやいやながら参加するのも、自分の評判のためだ。狭いコミュニティだとすぐに噂が広まる。「あいつサボりやがった」と言われると、ゴミが出せなくなる。しかし、逆に言うと、ルールを破ってもバレなかったり、悪い評判を共有するコミュニティがなければ、人間は好き勝手やり始める。だから、隣の部屋に誰が住んでいるかわからない、都市部のアパートではゴミ出しがルーズになりがちなのだ。

　インターネットは都市部のアパートに似ている。いやそれ以上だ。リアルとは違って匿名でOKだし、顔も見せる必要がない。ルールを守らないどころか、積極的に相手をだまそうとする。だから、近年、評判をポイントやレビューとして可視化することで、道徳的な行動をうながすシステムが登場した。たとえば、フリマサービスのメルカリでは商品をやり取りすると、ユーザーがたがいに評価し合う。評価はレビューや星の数として表示される。評価が悪いと商品が売れなくなるので、良いレビューを得ようと道徳的にふるまうようになる。ポイントやレビューはコミュニティの噂話やゴシップの代わりになっている。

とはいえ、いまだにインターネットはだまそうとするやつらであふれている。相手の善意を利用したり、ルールやシステムの穴をつきたがる。嘘で興味を引いて誘導する「釣り」やほかのユーザーや著名人だと詐称する「なりすまし」。だますやつらが悪いはずなのに、ネットに触れた経験が少なく、嘘を嘘だと見抜けない人は「情弱」（情報弱者）だと馬鹿にされる。

たとえば、ぼくにもツイッターで知り合った人にこんな人がいた。その人はアニメーターを自称していた。「自分はフリーランスのアニメーターで、京都アニメーションなど有名作品にも参加している」と語って、匿名のアカウントでアニメや映画の知識をひけらかしていた。何度かオフ会をしたこともある。普通にいい人だった。しかし、投稿に矛盾点があったりして「経歴を詐称している」と噂されていた。あるとき、アニメ制作の関係者が、自称アニメーターを指して「こんな人物は存在しない」と暴露して、炎上。その人はアカウントを削除して、ネットから消えてしまった。

「嘘を嘘と見抜けない」とダメなのだ。身の安全を守るために、恥をかかないために。すると、自然と疑り深くなる。信用しなくなる。インターネットは相手の言動を常に疑う「猜疑心」にあふれる空間になっていく。だますことと疑うことは背中合わせである。

ありえないような体験談を話すユーザーのことを指す「嘘松」（発端となったユーザー

がアニメ『おそ松さん』ファンだったことが由来）というネットスラングがある。面白かったエピソードを話すとき、ちょっとぐらい話を盛ってしまうものだが、たしかに注目を集めたいがために嘘をつくユーザーは存在する。

その一方で、さしたる根拠もなく、他人の言動を「嘘松」と認定するユーザーも存在する。ひどい場合は、事件や事故の証言を嘘だと断定する。事件の被害者家族を真犯人だと指摘する。遺族の活動を売名行為や炎上商法と認定する。そして、独自の検証もおこなう。ネットユーザーは特定することが得意だ。アップされた写真に映り込んだ電柱や部屋の間取りから、自宅までつきとめてしまう。炎上しそうな投稿を見つけると、削除されるまえに「魚拓」をとる（スクリーンショットなどで保存すること）。証言の嘘を暴き、真犯人を突き止め、証拠の隠滅を未然に防ぐ。まるで探偵である。しかし、隠された真実を明らかにするのではなく、自分の都合のいい物語を描く「迷探偵」ばかりなのだ。

ある殺人事件の背景には、世界を支配する黒幕による陰謀があった。よくあるストーリーだ。しかし、陰謀が実は存在せず、探偵の妄想でしかなかった。これまたよくあるストーリーだ。あらゆるものを疑い、隠された真実を暴露する探偵はどこか陰謀論者に似てくる。わずかな痕跡や情報から「ユダヤ人」や「爬虫類人（レプティリアン）」の存在を指摘する陰謀論者に。

たとえば、Qアノンは「迷探偵」たちの謎解きをうまく利用した陰謀論である。二〇二二年のアメリカ国会議事堂襲撃事件において、広く知られるようになった。その内容は悪魔主義者と小児性愛者による秘密結社「ディープステート」が世界を裏で支配し、ドナルド・トランプ大統領はその秘密結社と密かに戦っている、というものだ。Qアノンの成立過程には謎解きの要素がうまく取り入れられている。

「代替現実ゲーム（ARG：Alternate Reality Game）」というゲームがある。架空の世界の物語を現実空間でプレイする。たとえば、映画『バットマン』シリーズではプロモーションとして、あるキャラクターを架空の街の地方検事に当選させる「代替現実ゲーム」がおこなわれた。参加者たちはほかのプレイヤーと協力して、謎解きやパズルといったミッションをクリアして、ストーリーを進めていく。実際にプレイヤーたちは敵役ジョーカーのように顔をペイントして街を練り歩き、おそろいのTシャツを着て応援ボードを掲げて選挙集会をおこなった。

このような代替現実ゲームの要素をQアノンは取り入れている。Qという匿名人物が4chan（アメリカの巨大掲示板）に投稿した断片的なメッセージを、ユーザーたちが読み解き、その解釈をSNSで共有していく。その謎解きによって、Qアノンは陰謀論が体系化されていった。まるで代替現実ゲームのように、仲間たちと協力して謎解きミッションをクリアしていき、最終的には国会議事堂をリアルに襲撃してしまったわけだ。つまり、常識を疑い、自分の頭で考えた結果、陰謀論にハマっていったわけだ。注意経済（アテンション・エコノミー）において、謎解きやミステリーの手法はぼくたちの注目を持続させる有効な手段だとされる。

物語にすることで安心する

なぜ人々は都合のいい物語を紡（つむ）いでしまうのか。世界は複雑でややこしい。わからないことがあると不安になる。だから、ぼくたちはわかりやすい「原因」を追い求めてしまう。「AだからBなのだ」という物語（ストーリー）をぼくたちの脳は作り出す。そうやって世界を単純化する。「わかった」という感覚を得て安心する。世界を単純化するために物語を作ってしまう。

世界を悪化させる「原因」として「敵」がつくられる。「敵」は自分の利益のために他人を搾取する。世界の支配を目論（もくろ）む「悪」として描かれる。このような「悪」にたいして、ぼくたちは道徳的な怒りを自動的に感じてしまう。狩猟採集時代において人類が群れの利益よりも自己利益を優先する「フリーライダー」を罰してきたからだ。だから、物語には道徳的な教訓が含まれる。

物語は「あいつら」（敵）を「悪」と描き出して、「敵」への憎しみをかきたてる。「われわれ」（味方）が力を合わせて、「あいつら」（敵）を倒して、世界の平和を取り戻す、という勧善懲悪の物語を共有することで、「われわれ」という党派の結束力や連帯感を高めていく。だから、リベラルにはリベラルの物語、保守には保守の物語というふうに、それぞれ党派（部族）ごとに物語が存在する。とはいえ、それぞれの物語は「世界はこうあるべきだ、こうであってほしい」という願望で歪められている。

しかも、政治的な立場のちがいは「猜疑心」を高めるようなのだ。アメリカで行われた研究によれば、政治的な立場が異なる人への信用度はガクッと下がるらしい。たとえば、共和党の支持者は民主党の支持者を信用しない、逆もまたそうなのだ。「政治的部族主義」によってぼくたちは政治的な立場の異なる人間を「敵」とみなして、その言動をすぐに疑ってしまう。

「自分の頭で考えろ、常識を疑え」とよく言われる。しかし、そのほとんどが、わかりやすい原因を見つけて、都合のいい物語をつくるために、あらゆるものを疑っている。一つひとつの事実を検証して真実に辿りつくわけではない。複雑な世界を単純化して、物語に合わせて捻じ曲げていく。「真実はいつもひとつ」ではなく、「物語はいつもひとつ」なのである。そんな疑り深い「迷探偵」たちはインターネットにあふれている。

二〇二二年七月八日、安倍晋三元首相が撃たれたと一報が入ると、ぼくはツイッターから目を離せなくなった。リアルタイムでさまざまな「物語」がつくられたからだ。

安倍元首相の容態さえわからなかったのに、ものすごいスピードで事件は物語化された。いや、事件の詳細が不明だったからこそ、出来事の空白を埋めようと、さまざまな物語がつくられたというべきかもしれない。安倍元首相銃撃事件という出来事が、無数のネットユーザーたちによって凄まじい勢いで物語のなかに取り込まれていく様をぼくは目撃し続けたのである。

やはりなかなかの「迷探偵」もいた。銃撃の瞬間を捉えた映像から、容疑者とは別の射殺犯の存在を推理する「迷探偵」や、救護措置を受ける画像に出血が少なかったことから、安倍元首相生存説を唱える「迷探偵」もいた。

多くの場合、ここまで極端ではなかったが、しかし、自分自身を安心させるための物語がつくられた。あれやこれやテロの原因を推測する。その物語は類友のなかで共有される。「われわれ」のなかで一つの物語がまとまっていく。そのとき、事件をどういうふうに物語化するか、ということが政治的な争点になる。物語はわかりやすい「敵」＝「原因」をつくりあげるからだ。すると、ある特定の人々を「敵」＝「原因」とする物語を阻止したり、牽制したり、対抗したりするために、さまざまな物語がつくられていった。

「テロは民主主義への挑戦である」

「アベガーがテロを引き起こした」

「安倍政権が暴力を頻発する社会をつくったのであり、元首相は自ら許した暴力に斃れた」

「選挙を弔い合戦にすることは安倍元首相の死への冒瀆だ」

「この事件でザマアミロという左翼は最低だ」

「五・一五事件といったテロで政治を変えた戦前の日本に戻してはならない」

多くの物語が「テロは民主主義への挑戦である」という前提を共有していた。つまり、「テロ」は「敵」だという前提は共有しつつ、その暴力を生んだ「原因」を誰にするか、が政治的な争点になった。ある物語が敵／味方をマッピングする（テロの原因＝アベガー）。別の物語が敵／味方のマッピングを上書きしようとする（テロの原因＝安倍政権）。さらに別の物語がそのマッピングを相対化しようとする（敵＝戦前の軍国主義／味方＝戦後の民主主義）。

このような物語の連鎖反応は、COVID-19のパンデミックのときに発生したトイレットペーパーの「買い占め」によく似ていると思う。トイレットペーパーが不足することはないはずだが、トイレットペーパーを買い占めるバカな連中がいるはずだと考えて、真っ先にトイレットペーパーを買おうとして、みずからバカになってしまう、という感じである。普段ならば、事件の詳細を待ってから、冷静に発言をする人も、真っ先に物語化しようとする人々に対抗して、事件を性急に物語化していった。

とはいえ、現時点の報道によると、容疑者の母親が旧統一教会の信者で、度重なる献金によって家庭が崩壊。旧統一教会に恨みを持った容疑者が、教団とつながりの深かった安倍元首相をターゲットにした、とされている（もちろん、これも容疑者、警察やマスコミがつくった物語である）。しかし、事件の詳細が判明するまでの数日間のさまざまな物語はなんだったのだろうか。「常識」をつきやぶる想定外の出来事に直面しても、ほとんどの人は物事を根本から考えようとはしないのかもしれない（第2章）。ぼくたちは「わかった」という安心感を得るために、未知なる現実を都合のいい「物語」に押し込めようとするのだ。

シニシズムは利己的な動機を暴露する

さて、そろそろ「シニシズム」に話を戻そう。社会学者の津田正太郎さんによれば、ネットには相手の主義主張に利己的な動機を見出す「シニシズム」が広く見られるという。津田さんがあるネットメディアに記事を寄稿したところ、「どこかから提灯記事書いてくれと金積まれたんですか？」といった批判が多く寄せられたという。このように「社会的使命感とか正義感ではなく、金銭欲や性欲、名誉欲といった狭い意味での利益追求という観点からだけで解釈しようとする態度」は「シニシズム」である。そして、このような「シニシズム」の論法が、自分の気に食わない主張を否定するために使われている、と指摘している。

津田さんは次のような例を挙げている。日本赤十字のポスターに『宇崎ちゃんは遊びたい！』というマンガの胸の大きい女性キャラクターが起用されて炎上したことがあった。「フェミニスト」をはじめとしたポスター反対派と、「表現の自由戦士」と呼ばれるポスター賛成派のあいだで、激しい議論が起きた。その際に「相手側の動機をシニカルに解釈し、その土台を切り崩すことで「まともに論じるに値しない主張」だと切り捨てるケース」がよく見られたという。

たとえば、ポスター反対派には「自分たちにとって不快な表現を規制で圧殺したい」「ささいな問題を騒ぎ立てることで名を売りたい」「オタクの血を輸血されたくない」という「動機」があると解釈され、たいしてポスター賛成派には「社会的な発言をする女性の口を封じたいだけ」「女性をモノとして扱いたい」「差別される弱者としての立場を手に入れたい」という「動機」がある、とされた。

このようなシニシズムの論法はぼくも経験がある。論壇時評の仕事をしていたところ、「〔批判して〕目立ちたいだけだ」「〔批判対象に〕嫉妬している」と読者からの反発を受けた。「おまえの主張は正しくない」ならば、まだわかる。なぜ「承認欲求」や「嫉妬」が持ち出されるのか、と不思議に思っていたが、津田さんの記事を読んで「シニシズム」の論法だったのか、とスッキリしたのだ。

ポピュリズムは敵と味方を峻別する傾向が強かった。たとえば、左翼ポピュリズムは世界をウエ／シタに分けて「資本家」（ウエ）を敵とする。右翼ポピュリズムは世界をウチ／ソトに分けて外国人（ソト）を敵とする。このような敵が世の中を悪くした原因なのだ、とそれぞれの「物語」をつくりだすわけだ。そして、ポピュリズムは、敵への憎しみを掻き立てようと、敵がいかに道徳的な悪なのか、と描くことになる。どうやらここに「シニシズム」が忍び込むようなのだ。

小説にしろ、マンガにしろ、アニメにしろ、映画にしろ、主人公が仲間と協力して、敵を倒して世界の平和を取り戻す「物語」が多い。主人公は集団のために献身する道徳的な「善」として描かれる。たいして、「敵」は自分のために他人を利用し、世界の支配を目論む利己的な「悪」として描かれる。このような勧善懲悪の物語が好まれるのは、ぼくたちの「本能」を刺激するからだった。

鋭い読者はお分かりかもしれないが、人間には私利私欲しかないと考えて、利己的な動機を暴露する「シニシズム」は、敵を利己的な「悪」と描くポピュリズムと相性がいいのである。シニシズムの論法は「お金が欲しいから……、目立ちたいから……、性欲があるから……、嫉妬しているから……、承認して欲しいから……etc.、あなたは○○と言っているのだ」と解釈する。相手の主張を理解することなく、切って捨てられる。自分の考えを守るために情報を遮断してくれる。しかも、相手を利己的な動機を持つ敵＝悪として描き出してくれる。ポピュリズムにピッタリなのである。

そのときには敵のステレオタイプが利用される。さっきの例でも、「女性はオタクが嫌い」といった「ステレオタイプ」が使われていた。当事者／非当事者、男性／女性、若者／老人、日本人／外国人、マジョリティ／マイノリティ、リベラル／保守、エリート／庶民、上流階級／下層階級、与党／野党……といった、あらゆるステレオタイプを動員して物語がつくられる。

シニシズムの論法は脳科学の言葉も利用する。たとえば、「他人を許せない」と怒るひとは脳科学的にこんなふうに説明される。他人を道徳的に非難すると、快楽をつかさどる神経伝達物質のドーパミンが放出される。「許せない」と怒ることで、快楽に酔いしれて気持ち良くなっているのだ。実はギャンブルやドラッグでもドーパミンが分泌されるのだが、これらの依存症の原因にはドーパミンの過剰放出があるとされる。つまり、「他人を許せない」と怒るひとは、ギャンブル依存やドラッグ中毒と同じような「正義中毒」の状態だといえる……みたいな感じである。

もちろん、これは脳科学的な説明にすぎない。しかし、社会正義を訴えて怒っている人に向かっていえば、「脳内の快楽物質のために、〇〇と怒っているのだ」と「快楽」という利己的な動機を暴露することになる。だから、「リベラル」を嘲笑するシニカルな論法としてよく使われる。

その一方で、リベラルにも「シニシズム」の論法を見かけることがある。「冷笑主義」を批判する人は、政治に熱心に参加することの大切さを訴える。それはそれで良いと思うのだが、どうも「冷笑系」を敵視しすぎるせいか、「冷笑するのは快楽だから、依存症になるんだろうね」などと言ったりする。いちど、依存症の本をつくっている編集者がそんなことをつぶやいていてギョッとした。気づかぬうちに「シニシズム」に染まってしまうのだ。

そう考えると、「逆張り」という言葉も、シニシズムの論法のひとつと言える。逆張りが嫌われるのは、社会や集団のために発言しているのではなく、「きたない私欲」や「利己的な動機」が隠されていることに、多くの人が気づいているからだ。逆張りには、人々の注意を集めたい「承認欲求」や「金銭欲」、アンチとして敵を叩きたいだけの部族主義的な「本能」がある。たしかにそういう人々は存在している。だが、その一方で、どうも自分の気に食わない主張を「逆張り」だとレッテルを貼るケースもある。「逆張り冷笑おじさん」もそうだし、「朝日新聞は逆張りしかしない」や「逆張り野党」もそうだ。

このとき「逆張り」はシニシズムの論法のひとつとなる。つまり、「逆張りだから（目立ちたいから……、お金が欲しいから……、部族主義的な本能を満足させたいから……）、あなたは○○と言っているのだ」というストーリーをつくり上げるわけだ。相手の主張が部族主義的な本能によるものだとシニカルに詮索する。そうやって相手の主張を理解せずに切って捨てる。それと同時に、相手が利己的な「悪」だと周囲に印象づける。「逆張り」はこのような部族主義的なふるまいを可能にする言葉となっている。

つまり、ややこしいけれど、レッテルとしての「逆張り」は、相手が部族主義に陥っていると断定する、それ自体が部族主義的な言葉なのである。政治的な立場が異なるだけで、対話不可能な「敵」とみなしあう「政治的部族主義」を象徴している。まあ、簡単にいうと、ここ一〇年のインターネットの最悪なところを煮詰めたような言葉なのである。

第6章

「そこまで言って委員会」

インターネット学級会とネトウヨになりかけたTくん

「どっちもどっち論」批判は正しい

今日もインターネットでは学級会が開かれている。ツイッターなどSNSで政治や社会の問題について広く議論される。「日本の政治に危機感を感じてツイッターを始めました」というアカウントはよく見る。しかし、その議論のあまりに稚拙な様子は「学級会」と揶揄される。

たしかにネットの議論は学級会っぽいところがある。めいめいがバラバラで勝手に発言する。何を主張しているのかよくわからない。議論にまとまりがない。すぐに冷静さを失って、感情的になる。また、不道徳な行為が告発される。犯人探しをする。吊し上げる。一斉に非難する。こういった道徳的な雰囲気も学級会にそっくりだ。

インターネット学級会では「どっちもどっち論」の問題点は「いじめ」によく喩えられる。いじめをする不良たちがいる。不良たちには力がある。体も大きい。仲間も多い。たいして、いじめられる弱者には力がない。体も小さい。クラスで孤立している。いじめる側といじめられる側のあいだには歴然とした力の差がある。

しかし、どっちもどっち論はいじめを対等なケンカとみなしてしまう。いじめられる側にも非があるとして、喧嘩両成敗にしてしまう。たとえば、いじめをおこなう「不良たち」に「マジョリティ」「上流階級」「エリート」「男性」「ネトウヨ」、いじめを受ける「弱者」に「マイノリティ」「下層階級」「庶民」「女性」「在日外国人」と色々と当てはめられる。お金がある。権力がある。立場がえらい。数が多い。武装している。ところが、どっちもどっち論は対立する両者の力の差を無視してしまう。このような批判は正しいとぼくは思う。

また、「どっちもどっち論」はいじめの「傍観者」に喩えられる。いじめにたいして「どっちもどっちだ」として中立を装う「傍観者」になることは、いじめる側といじめられる側の非対称な力関係を固定する。たとえ直接参加しなくても、間接的にいじめを手助けすることにほかならない。

たしかに不平等をもたらす政治制度は、政治に無関心な大衆（潜在的などっちもどっち主義者）に支えられている。政治に無関心な人々が何も選択しないことは、現状維持を選択することと同じである。その結果、不平等がそのまま放置される。この批判も正しいとぼくは思う。

いじめをおこなう不良たち、いじめを受ける弱者、両者には大きな力の差がある。しかし、話はここで終わらない。さらなる不平等な関係が存在している。いじめを受けた「弱者」が勇気を振り絞っていじめを告発したとする。いじめの実態を明らかにして、不良たちを非難する。言い逃れできないように証拠も提出する。クラスのメンバーにいじめをやめさせるように説得する。これらのいじめの告発に関するコストは、いじめを受けた弱者が負担しなくてはならない。

しかし、いじめる側といじめられる側には力の差があった。いじめられる側は力を持っていない。つまり、いじめの告発をうまくできるほど、能力や時間といったリソースを持ってない。少ないリソースのなかで、いじめを告発するコストを負担しなくてはならない。そうなると、告発が不十分になる可能性が高い。

証拠が揃わなかったり、証言があいまいになる。不良たちは「嘘つきだ、フェイクニュースだ」と言いだすかもしれない。また、感情的になったり、ときには暴力的になるかもしれない。すると不良たちは「言葉が攻撃的だ」とか「暴力を振るった」と問題視する。これはハラスメントの被害者が受ける非難の典型である。デモや抗議活動も「攻撃的だ」とか「暴力的だ」とよく非難される。いじめられる側のコスト負担

／リソースの少なさをいずれも無視している。

「どっちもどっち論」は告発の不十分さを攻撃する。いじめられる側の非をあげつらう。そうやって非対称な力の関係を覆い隠す。だから、いじめる側といじめられる側の力の差を頭に入れることが、いじめの告発に向き合うためにまず必要である。

リベラルという優等生

とはいえ、問題がひとつある。告発に誠実に向き合うことと告発を無条件に妄信することはちがう、ということだ。たしかに告発のコスト負担／リソースの少なさを考慮する必要がある。告発の内容や方法が不十分だからといって、その真意を初めから疑うべきではない。だからといって、無条件に妄信するべきでもない。いじめられる側が唱える主義主張が絶対に正しいとはかぎらないからだ（もちろん正しい場合もある）。告発した側が勘違いしている。悪意のない事実誤認の可能性だってある。

告発というだけで無条件に妄信する風潮が広がると、悪用するものが出てくる。クラスの嫌いなやつを貶める（おとしめる）ために「いじめられた」と嘘をつく。逆に、不良たちのほうが「自分たちこそがいじめの被害者だ」と言い出すかもしれない。

だから、いじめの告発が正しいかどうか、クラスの生徒たちのあいだで冷静な議論が必要となる。それぞれの疑問をぶつけ合って確かめなければならない。とはいえ、いじめられる側は力を持たない。議論の場を安易にセッティングすれば、むしろ不良たちに有利となる。いじめの告発を聞きつけた不良たちが「俺たちだけで話し合いをしよう」と当事者だけの対話を求めたり、「クラスのみんなにいじめかどうか判定してもらおう」と公開討論を要求したりする。これもよく見られる光景である。

このとき「優等生」が登場する。優等生はとても誠実で頭も良い。能力が高く、時間に余裕がある。リソースをたくさん持っている。いじめをめぐる非対称な力関係をわかっている。なので、告発の不十分さをむやみにあげつらったりしない。告発に耳をかたむけ、不良たちの言い分も聞いて、さまざまな状況証拠を調べてみる。いじめの存在を確信した優等生は被害者をサポートする。もちろん、優等生のことだから、いじめをあらかじめ察知してみずから告発するかもしれない。

優等生はいじめの告発を代行する。リソースが少ない弱者に代わって、告発のコストを肩代わりする。不良たちには暴力ではなく言論で対抗する。「見て見ぬ振りはやめよう」と呼びかける。半信半疑だったクラスのメンバーも、優等生の説明に納得する。最終的に不良たちもみずからの非を認めて、被害者に謝罪する。

優等生には「リベラル」が当てはまる。不良たちは「ネトウヨ」、弱者は「在日外国人」にするとわかりやすい。また、いじめを「ハラスメント」に置き換えて、優等生を「フェミニスト」にしてもいい。先生に任せることなく、生徒たちの話し合いでいじめをなくす学級会。権力や暴力に頼らずにあらゆる問題を言論で解決する。理想的な民主主義だ。

議論と決断はつねにゴタゴタする

しかし、現実はなかなかうまくいかない。議論をしても不良たちが簡単に説得されるとは思えない。一方で、弱者は不利な状況に置かれたままだ。苦しい思いをしている。さらにひどいことをされるかもしれない。危機が目の前に迫っている。おしゃべりをしている時間はない。

ならば、弱者を守るために一刻も早く立ち上がらなければならない。身体を張って不良たちのいじめをやめさせる。なるべく避けたいが、暴力には暴力で対抗する必要も出てくるかもしれない。優等生は不良たちに立ち向かうべく、クラスの有志に決断や行動を呼びかける。こうなると、議論は行動を先延ばしにさせ、疑問は決断を迷わせるものになる。大きな決断になればなるほど、絶対に正しいと信じ込まないと行動できないからだ。しかし、そうなると、いじめがあったかどうかという議論を打ち切ることになるので、告発を妄信することと紙一重になってくる。

年末になると繁華街の交差点には「最後の審判が迫っている」という看板を持った人がよく立っている。終末論は人々の行動を駆り立てる。すると、たいした危機が迫っていないのに、切迫感を強調して人々をコントロールするものがあらわれる。自分に都合の悪い議論を切り上げるために、決断を煽る人も出てくる。多くの人を動員しようと、わかりやすい勧善懲悪の物語が語られる。さまざまな可能性を冷静に検討することなく、感情的に判断すれば、誤った決断をする確率も高くなる。

しかし、その一方で、他人の決断は批判しやすいところがある。決断はさまざまな可能性から、ひとつの可能性を選択する。しかも事態が刻々と変化するなかで。そのためにいろんな可能性を見落としやすくなる。「こんなこともできたのに」「ああすればよかったのに」と取りこぼした可能性を「後出しジャンケン」で指摘するのは簡単だ。「後知恵バイアス」の可能性だってある（物事の結果が分かったあとで、「そうなると思った」と予測の範囲内のように考えてしまう認知バイアス）。その結果、政治的な決断や行動にたいして、戸惑ったりためらったりしてみせることが、物事を深く考える知性の証明であり倫理的な態度なのだ、と勘違いするひとも出てくる。

議論と決断はどうしてもぶつかる。思考することと行動することは衝突する。どこまで議論すべきか、いつ決断すべきか。この両者の緊張関係はスマートに解決できない。つねにゴタゴタする。大きな決断になればなるほど、両者の緊張関係は大きくなる。自分の判断は正しいはずだ、いや間違いかもしれない……と不安になるわけだ。

しかし、どうもこの「不安」をなるべく回避しようとしている。そのために、「この道しかない」とわかりやすい答えにひきつけられる。もしくは、なるべく決断や行動の責任を追及されない選択を選ぼうとする。

モラルの高さのお披露目会

「○○さんが昨日の掃除をサボっていました」
「○○くんにデブだと言われました」

学級会ではその日にあった不道徳な行為が報告される。クラスのメンバーから「いーけないいんだーいけないいんだ」と非難される。クラスに適合できる人間になれるように、しつけがおこなわれる。同調圧力によって人間が矯正される。洗脳される。改造される。言い方は悪いが、学級会はみんなで道徳をしつけ合う場である。

学級会は自分のモラルの高さをお披露目する場でもある。自分が犯した罪や過ちを告白して反省してみせる。罪悪感で胸が張り裂けそうだとアピールする。他人の不道徳な行為を非難して、いかに自分が道徳的に優れているかを示そうとする。ぼくたちの脳は自分の評判をとても気にするような傾向がある。そのため、仲間の評判を高めようと道徳的にふるまい、ルールを破ったものを罰しようとする。だから、メンバーの行動を監視して密告する風紀委員みたいなやつも出てくる。

インターネット学級会も自分のモラルの高さをお披露目する場になっている。インターネット学級会でいじめが告発されるとすぐに炎上する。さまざまな党派、類友の代理戦争の場となる。「政治的部族主義」のせいで、ぼくたちは敵とみなしたものをあまり信用しない。

いじめの告発者を敵とみなした人たちは、告発を疑って粗探しをする。告発は不十分なものになりがちだから、さまざまな矛盾点が見つかる。他人をむやみに疑うネット特有の猜疑心も手伝って、いきなり嘘だと断定することになる。たいして、告発者を味方とみなす人たちは、いじめの告発に真っ先に共感を寄せて、その被害に怒りを表明する。事実かどうか確かめもせずに、告発を拡散する。とはいえ、感情的な判断は間違えやすいから、ときどきフェイクニュースや嘘の告発に引っかかる。

道徳は党派や部族ごとでそれぞれちがう。だから、同じ行為がある党派で非難されても、別の党派では賞賛されることがある。いじめの告発を疑って粗探しをする人は、「嘘つきを罰する」というモラルの高さを示したい。たいして、告発に共感を寄せて拡散する人たちは「弱者に寄り添う、ケアをする」というモラルの高さを示したい。どちらも、仲間うちの自分の評判を高めようと道徳的にふるまうわけだ。その結果、インターネット学級会は「悪いことをしたのは事実やけれど、そこまで言っていいんか?」と思うぐらいに誹謗中傷や罵詈雑言であふれることになる。

道徳的な非難を避ける傍観者

さて、いじめを解決するために、優等生はクラスのメンバーに呼びかける必要があった。優等生だけで不良たちを相手にするのは難しいからだ。しかし、なかには優等生に協力しない「傍観者」も出てくる。「あなたもいじめの間接的な加害者です。被害者がかわいそうだと思わないのか」と「傍観者」の良心に訴えて、行動や決断を呼びかける。だが、道徳的に非難しても、効果はあまり期待できないだろう。

人間は自己家畜化した生き物だという説がある。「家畜化」とは「遺伝的適応の結果として従順になる」ことだ。たとえば、おとなしいキツネ同士を交配させると、人懐っこいキツネが生まれてくる。これが家畜化である。

たいして、人間は自己家畜化したとされる。ぼくたちのはるか祖先が群れで暮らしていたころ、群れを支配する凶暴なオスがいた。一匹のボスが食料やメスを独占している。しかし、あるとき、支配下にいたオスたちが協力して、凶暴なボスを殺してしまう。このように攻撃性の高い個体が淘汰されたため、人間はほかの動物に比べてカッとなって攻撃することは少なくなった（反応的攻撃性の抑制）。おとなしい従順な性格になった。だが、その代わりに、メンバーが協力して綿密な計画を練ったうえで、ほかの個体や群れを攻撃する、という別の残酷さ（能動的攻撃性）を身につけた、とされる。これが「処刑仮説」と呼ばれる説である。

凶暴なボスに代わって、オスたちの連合が群れを支配した（狩猟採集時代は男女平等と言われたりするが、オスたちがメスを支配する家父長制だったと考えられる）。オスたちの連合は群れのルールを破る個体にも目を光らせる。睨（にら）みを効かせるオスたちの制裁を恐れて、ぼくたちの祖先は道徳的にふるまうようになった。だから、ぼくたちの脳は自分のモラルの高さを示すようにプログラムされたわけだ。しかし、そのいっぽうで、道徳的な非難を避けるようにも進化した、というのである。

何かいますぐ決断をしなくてはいけない。しかし、どう行動すればいいかわからない。道徳的な基準がはっきりしていない。間違った判断をすれば、群れから排除される。処刑されてしまう。そうなると、正しい判断を選ぼうとして失敗するよりも、なるべく道徳的な非難を回避できる選択をとったほうが得策となる。つまり、ぼくたちには責任逃れや言い逃れしやすい選択をえらぶような傾向がある。たとえば、次のような三つの認知バイアスがある。

不作為バイアス……人は何かをするよりも何もしないほうを選ぶ

副作用バイアス……主要な目標が害をもたらさないようにする

非接触バイアス……危害をくわえられている人に触れるのを避ける行動をとる

これらの認知バイアスは道徳的な非難を回避するための「思考のクセ」だと考えられている。いずれも「行為者と行為のあいだに距離を置く」ことを可能にする。そのため、「自分は何もしなかった」(不作為バイアス)とか「それが目的ではなかった」(副作用バイアス)「指一本触れなかった」(非接触バイアス)と責任逃れしやすくなるのだ。何か行動を起こして、ひどい結果になる。自分に責任があることは明白だ。しかし、何も行動しなければ、「気づかなかった」「わからなかった」「知らなかった」「何もしていない」といくらでも言い訳できる。

ぼくはこの説を聞くと、どうしてもいじめの「傍観者」が思い浮かんでしまう。つまり、「傍観者」は道徳的に非難されることを回避するために「傍観者」となっている。「仲間を裏切った」といった不道徳な行為への罰がいじめに発展するケースはよくある。いじめを目撃しても、何もしなければ不良たちから怒りを買うことはない。そのいっぽうで、「いじめの間接的な加害者だ」と優等生に責められても、「遊んでいると思った(気づいてなかった)」と言い逃れできる。道徳的な空気に支配されるほど、逆に人々は「傍観者」になりやすくなるのである。

何も決断せずに、行動しない「傍観者」は「安全圏にいる」とよく非難される。政治運動を批判すると、「安全圏からものを言っている」と言われる。たしかにこの批判は当たっている。決断が招くリスクを回避している。議論することで行動を先延ばしにするからだ。

とはいえ、決断したひとが、道徳的に非難されるリスクを背負っている、というわけではない。何か行動しても、非難されるリスクを減らす方法がある。それは、まわりのみんなと同じ行動をすることだ。ビートたけしが言うように「赤信号、みんなで渡れば怖くない」のである。「類友」と同じ行動をすれば、なにも迷うことなく、安心して行動できる。ぼくたちは集団の多数派に同調してしまうが、このような「同調圧力」もぼくたちの祖先がオスたちの連合から身を守る術だったとされる。

まあ、ネットに書き込むことが、本当に決断や行動なのか、という当然の疑問は横に置くとして、こうなるとインターネット学級会は自分が所属する党派や部族のノリに合わせるひとばかりになる。とはいえ、実際にモラルの高さを示そうと熱心なのは一部のヘビーユーザーだけで、ほとんどのライトユーザーは「傍観者」にとどまっているが。

誠実だからこそ裏切る必要がある

インターネット学級会ではあるテーマに一気に注目が集まる。とはいえ、実際の重要性とはあまり関係なく、注意や関心をひきやすい話題ばかりが言及される。その話題は一気に拡散されるが、すぐに飽きられてしまう。

読者のみなさんは「みんなの忘れたニュースBOT」をご存知でしょうか。炎上した話題を忘れたころに通知してくれるツイッターのボット（Bot：自動投稿プログラム）である。「世間が○○について話さなくなって30日経ちました」という文章とともに、炎上した話題に言及するツイート数の変化を示すグラフが投稿される。開発者であるプログラマーの河本健さんは「いろんなことに怒って忘れてを繰り返す空気」が嫌になって、「冷静に考え直す機会」を作りたかった、と述べている。

みなさんもこのボットをぜひ眺めてほしい。いま執筆している時点でも、次のような話題が世間の注目を集めなくなって一ヶ月以上たっている。

「ごぼうの党」（二〇二二年一〇月二七日）
「りゅうちぇる」（二〇二二年九月二七日）
「朝日川柳」（二〇二二年八月二七日）
「舞妓さん」（二〇二二年七月三一日）
「尼崎のUSB」（二〇二二年七月二八日）

本を出すには早くても半年から一年はかかる。いまこの本を読んでいるみなさんは覚えているでしょうか。ツイッターのユーザーではない読者は、何の話なのか見当さえつかないだろう。

実際のインターネット学級会で「優等生」が不在になりがちなのは、これが理由である。みんな気づいているのだ。やっても無駄なのだ、と。告発の事実関係や主義主張の正しさを議論するには、それなりの時間や労力が必要となる。ポピュリズムの代理戦争に巻き込まれる心理的な負担もある。しかし、結論を出したころには、ネット学級会のみんなは興味を失っている。

だったら、自分が所属する党派や部族のノリに合わせたほうがいい。仲間からの評価を得られるし、道徳的に非難されるリスクも下げられる。何も考えずに、自分の部族の信念を垂れ流せばいいから、コスパも最高である。本来ならば「優等生」の役割を担うべき、言論で飯を食ってる人たちもネット上だとそうなっている。

それればかりか、告発に誠実であることと取り違えて、妄信することが道徳的なふるまいだと勘違いしている。告発者のコスト負担／リソースの少なさを理由にして、主義主張に違和感や疑問を表明することも封じようとする。弱者を保護する名目で、優等生が率先して議論自体も避けようとする。「弱者に寄り添う、ケアをする」というモラルの高さを示すためかもしれないし、すぐに嘘だと認定する敵に対抗するためかもしれない。しかし、そうなると、告発が正しいかどうかという問題は宙に浮く。たとえ、そのときの類友の代理戦争に勝利できたとしても、のちのち粗探しを受けて「やっぱり嘘だった」と反撃されることになる。

貧しいひとが声を上げる。リベラルならば、社会福祉を充実する政権を選択することを期待する。左翼ならば、資本主義に対して革命を起こすことを期待する。そういう美しいストーリーを描きがちである。確かにぼくもそういうストーリーが望ましいと思うけれども、しかし現実を考えるとちょっと楽観的ではないか、と思っている。たとえば、第４章で「非大卒若年男性」という存在を取り上げた。政治に無関心だった彼らが突然政治に熱狂したとする。ポピュリズムである。そのとき、リベラルや左翼は自分たちの政策を支持してくれることを期待するが、果たしてどうだろう。むしろ、移民を敵視したり、女性を蔑視したりするような選択に流れやすいのではないか。

近年、民主主義国家において多くの人が政治的な知識を持たないことが明らかになっている。ジェイソン・ブレナン『アゲインスト・デモクラシー』によれば、政治的な知識が乏しいほど、リベラルよりも保守っぽい政策を好むそうだ。たとえば、妊娠中絶を規制する。犯罪者に厳しい刑罰を求める。拷問に寛容になる。同性愛の権利に反対する。軍事介入には強硬派となる。いわゆる「リベラル」とされる民主党の支持者でさえそうらしい。くわえて、政治的に無知な人ほど、認知バイアスの影響を受けやすく、候補者のルックスや名前の響きで投票先を決めてしまう。

政治的に無知な人は、富裕層よりも貧困層に多い。もちろん、彼らが政治的な知識を持てないのは、社会的に不利な条件に置かれているからだ。生活に余裕がない。コミュニティから孤立している。十分な教育を受けられない……階級の問題である。「こんな社会はおかしい」と声を上げることは正しい、とぼくは思う。しかし、彼らの主義主張が正しいとは限らない。もしかしたら、もっと悪い社会を求める可能性もある。

政治的無知に関する研究を踏まえると、「弱者」の主義主張はメチャクチャになる可能性が高い。だからといって、彼らへの加担を止めるべきではない、とぼくは思う。第3章で「最低の鞍部で越えるな」という言葉を引用して、理想的な「批判」を語ったが、それになぞらえるとこうなる。つまり、言論において味方として加担するならば、もっとも低い「鞍部」ではなく、もっとも高いところで加担せよ。加担する味方の主義主張を、味方が気づいていない部分まで、最大限にその射程を伸ばしたうえで加担する。逆にメチャクチャだからこそ、優等生の「常識」を突き破った主義主張に化けることもある。

主義主張を祭り上げるわけでないのだから、批判する必要も出てくる。しかし、こうなると、いじめの告発が不十分だと攻撃する「敵」に見えるらしい。いじめられる側の非をあげつらう「どっちもどっち論」だと揶揄される。けれども、誠実だからこそ裏切る必要がある。妄信せずに信頼しなければならない。距離をとりつつ加担すべきである。味方だからこそ敵とならなくてはならない。これが「加担」の基本である。

優等生のえこひいきが許せないネトウヨ

これまで学級会の優等生の問題に触れてきたが、次はいじめをする不良たちに目を向けてみよう。ここではわかりやすくするために優等生＝リベラル、不良＝アンチ・リベラル、弱者＝マイノリティとして考えよう。不良たちが弱者をいじめる理由は、優等生＝リベラルへの「あてつけ」である。不良たちはアンチ優等生＝アンチ・リベラルなのだ。ネトウヨが在日外国人や女性をバッシングする理由がこれである。

弱者＝マイノリティは力を持たない。優等生＝リベラルは優秀だから、弱者をいつも気にかけている。ケアをしたり、配慮したり、エンパワーメントしている。というのも、優等生＝リベラルは力を持っているからである。論理的な思考力、豊富な知識、巧みな話術、鋭い文章力といった知の力を持つからだ。優等生がかしこいのは、勉強の成果である。とはいえ、自分だけの努力で知を獲得したとは思っていない。勉強に専念できる恵まれた環境にいたからだ、と理解している。だから、知という力を使って、社会的に不利な地位にいる弱者を助けようとする。

しかし、不良たち＝アンチ・リベラルは優等生ががまんならない。優等生の力を不良たちは認識している。言葉でやり合っても敵わない。頭の良さにビビっている。優等生と不良のあいだにも非対称な力の差がある。だが、優等生はマイノリティ＝弱者ばかりを支援する。不良たちからすると、弱者への支援やケアが「えこひいき」に見えてしまう。自分たちは何も気にかけてくれない。不公平だと思い込む。優等生＝リベラルへのあてつけとしてマイノリティ＝弱者を攻撃するわけだ。こうやってアンチ・リベラルはネトウヨになってしまう。

ネトウヨは「本当は自分たちこそが差別を受ける被害者だ」とよくいう。彼らの頭の中ではこう見えている。優等生＝強者、不良たち＝弱者である。自分たちこそが優等生に差別を受ける被害者なのだ。たいして、優等生に援助されるマイノリティは、弱者という特権を得た強者である。だから、在日外国人や女性、生活保護受給者、障害者へのバッシングは単なる「差別」ではない。リベラルが「反差別」だから、アンチ・リベラルとしての「反・反差別」なのである。「リベラル」という「知的特権階級」に挑んだ戦いなのだ。

優等生はえらそうなのではない、えらいのだ

排外主義に走ることはまったく肯定しないが、優等生＝リベラルに反発する理由は、それなりに理解できるものがある。その一つ目の理由は、優等生はえらそうである。日本の政治ではほぼずっと劣勢だが、ジャーナリズムやアカデミズムといった文化の領域ではリベラルのほうが優勢である。新聞記者や大学教授は頭が良くて良心的な人

が多い。弱者にはとても優しいが、努力しない人間にはえらそうだ。「啓蒙して導いてあげなきゃ」と無自覚に思い込む人はけっこう多いし、「あなたの頭が悪いのは勉強不足ですよね」と露骨にバカにする大学の先生はツイッターにちらほらいる。残念ながら。

しかし、えらそうなのはしょうがないのかもしれない。実際、えらいからだ。リベラルな社会では知能が高い人はえらいとされる。頭が良ければ、人の上に立つべきとされ、収入が多くて当然だと考えられている。

福沢諭吉『学問のすゝめ』には「天は人の上に人を造らず人の下に人を造らず」という有名な言葉がある。しかし、この文章の続きには「人は生まれながらにして貴賤・貧富の別なし。ただ学問を勤めて物事をよく知る者は貴人となり富人となり、無学なる者は貧人となり下人となるなり」と書かれている。つまり、人類みな平等だが、学力で序列ができることは認めていたわけだ。生まれや性別、身分にかかわりなく、能力が高いものが出世すべし。これがリベラルな社会の理想である。高校や大学といった高等教育は、知能（学力）によってランク付けするシステムである。さまざまな属性ではなく、その能力によって判断すること。近代は能力主義（メリトクラシー）によって差別を解消してきた時代である。

リベラルな社会において「人類はみな平等」と建前では言いつつも、歴然とした能力による序列がある。能力による格差が認められたのは、学力が本人の努力の賜物とみなされたからだ。とはいえ、そもそも努力できない環境にいる人たちがいる。家が貧しくて学校に通えない子どもに「勉強しろ」というのはあまりに酷だ。だから、教育の機会を与えようと、恵まれた環境にいない弱者を支援してきた。リベラル＝優等生のなかに、努力できない弱者に優しくて、努力しないバカに厳しい人がいたとしても、本人の性格が悪いからではない。えこひいきでもない。このような能力主義を前提にしているからだ。

絶えまない努力をしたと思われたからこそ、優等生はえらいとされてきた。しかし、どうも最近、この前提が崩れてきている。ある研究によると、知能に遺伝が与える影響は五割ぐらいだという。勉強のやる気に与える影響は四割ぐらい。つまり、きちんとした環境を整えてあげれば、学力を獲得できる、という話でもなくなっている。むしろ、勉強できる環境が整えば整うほど、遺伝の影響が強くなるわけだ（もちろん、いまだに親の収入や学歴によって教育環境の差はあるが）。

リベラルはあまり遺伝の話はしたがらない。優生思想や人種差別を想起させるからだろう。むかし話題になった『不平等社会日本』という本がある。かつて「一億総中流社会」と言われたように、日本はがんばればいい暮らしができる社会だと思われていた。しかし、二〇年以上前に、がんばってもしかたがない階級社会であることを指摘した本である。この本について作家の小谷野敦さんが遺伝の問題への言及がないと疑問を呈したところ、著者から「遺伝については社会的影響を考慮して書かなかった」という返信があった、という。興味深いエピソードである。

しかし、隠そうとすればするほど、暴露されたときのインパクトは大きくなる。えらそうなリベラルの鼻を明かしたい人たちが「不都合な真実」として遺伝の話を語ってきた。ところが、最近は遺伝の話はもはや一般化している。2ちゃんねる元管理人のひろゆき氏の本のタイトルも『1%の努力』(99%は遺伝子や環境といった運)である。親から受け継いだ遺伝子と育てられた環境で人生が決まる、という「親ガチャ」という言葉が流行語になった(どの親に生まれるかという偶然を景品くじ=ガチャに喩えた言葉)。

つまり、頭がいい人がいても「遺伝と環境がよかったんでしょう?」という感じなのである。もちろん、何もかも遺伝で決まるわけではない。やればできるという信念がなければ、そもそも努力さえできない。「この先生はえらい」という尊敬がなければ、学ぶこともできなくなる。しかし、つい先日も少年誌のマンガに遺伝の影響が○○%みたいな話が登場していて、さすがにこれはギョッとしてしまった。

頭がよくて良心的だからこそ嫌われる

リベラル=優等生が反発されるもう一つの理由は「きれいごとをいう偽善者」だと

思われるからだ。たとえば、格差社会を批判する「リベラル」な大学教授がタワーマンションに住んでいるという話はネットでくりかえし炎上する。ぼくたちは集団の利益にただ乗りをする「フリーライダー」を罰しようとする。集団の利益よりも自分の利益を優先するものを本能的に嫌う。リベラルは頭が良くて、良心的な人が多い。だからこそ、「どこまで許されるのか、どの一線を越えれば怒られるのか」と道徳的に許されるギリギリのラインを把握している。そうなると、仲間を出し抜いて、自分の利益を確保することも可能になる。リベラルが嫌われる理由を著述家の橘玲さんはこんなふうに説明している。

いくら自己利益を追求すべき資本主義社会といえども、「お金儲けして、何が悪いんですか?」と挑発すれば、民衆の反発を買って会社を潰されることもある。ちゃっかりと自分の利益を確保しつつ、「日本の経済のため」とか「社会に貢献するべく」と言って、世のため人のために働く姿勢を見せたほうが得策である。まさに「自利利他の精神」である。とはいえ、いまは抜け駆けのリスクを犯さなくても、自分の評判をお金に変える方法は「いいね!」や「シェア」のみならず、たくさんある。

頭が良くて良心的であることは、言論の場でも有利に働く。学級会は自分がいかに道徳的に優れているかをお披露目する場である。不道徳なメンバーを厳しく非難することで、自分のモラルの高さを示すことができる。とはいえ、やりすぎはよくない。

他人の行動を逐一監視して、密告する風紀委員は嫌われるものだ。先生（権威）に媚びへつらっているように見えるし、ほかのメンバーに権力を持つことになる。

道徳といっても、さまざまな種類がある。「権力にしたがうべき、ルールを守るべきだ」という道徳もあれば、「権力には反抗すべし、自由を尊ぶべき」という道徳もある。学級会にはいろんな道徳がせめぎ合っている。共感を集めたものが一転して、激しい非難を浴びせられるのは、インターネット学級会でよく見る光景だ。

頭が良くて良心的な優等生はその微妙なラインを見極められる。どのようにふるまえば、どのような言葉を使えば、クラスのメンバーの良心に響くのか。優等生として発言すれば、えらそうだと反発を受ける。だったら、弱者のふりをして発言したほうが同情を集めやすいだろう。自分こそが加害者なのだと懺悔（ざんげ）してみせるほうが効果的かもしれない。頭が良くて良心的だからこそ、他人の道徳感情を利用して自分の都合のいいように議論を誘導できる。

さて、これまで「アンチ・リベラル」のさまざまな論法を見てきた。言い間違いや些細なミスをあげつらう「揚げ足取り」や、相手の言動の矛盾を突く「ブーメラン」や「二コマまんが」（第４章）、相手の利己的な動機を暴露する「シニシズム」の論法などである（第５章）。これらの論法は、頭が良くて良心的な「優等生」にたいして、それらを持たない「不良」たちが対抗するための手段だったと言える。

主義主張の正しさを競っても、頭の良さが違う。同じフィールドで闘っても、勝ち目はない。だから、真正面から議論することはない。相手の主義主張を相対化して、足をすくって転ばせようとする。相手が知的に優れているほど教養のなさを暴露する「揚げ足取り」は威力が高まるし、道徳的に優れているほど利己的な動機を詮索する「シニシズム」は効果を発揮する。

しかし、このような論法を連発すると、主義主張の正しさを闘わせる議論は難しくなる。いや、不良たちにとってはそれでいいのかもしれない。自分の意見が通らなければ、議論のフィールド自体を荒らしまくってぶっ壊せばいいのだ。そうすれば、優等生が「知」という力を発揮できる言論という領域は機能しなくなる。こうやってインターネット学級会はさらにメチャクチャになってしまう。

だからこそ、優等生は議論や言論のフィールドを維持することに努めなければならないのだが、どうも最近、リベラルなネットユーザーの一部が、これらのアンチ・リベラルの話法を使って、敵をやっつけたり、嘲笑したりする光景が増えている。職場や学校に電凸（電話をかけて組織としての見解を問い正す行為）をしたり、荒らし行為（粘着して暴言を吐いたり、誤情報を撒き散らす行為）をしたり、昔の2ちゃんねらーぽいふるまいをすることもある。

SNSを利用するとネット特有の言動に染まってしまうのか。それとも、アンチ・

リベラルを「敵」として攻撃するなかで意図せず似てくるのか。もしくは戦略的に模倣しているのか。いずれにしろ、アンチ・リベラルとリベラルは、鏡に映った関係のように、ますます似てきているのである。

ネトウヨになりかけたTくんの思い出

リベラルへのあてつけとして排外主義に走る。ネトウヨはアンチ・リベラルである。この行動原理を学級会に喩えて説明してきた。実はこれ、社会学者の伊藤昌亮さんの指摘を、ぼくなりのアレンジをくわえつつ、紹介したものだ。伊藤さんのこの指摘を初めて読んだとき、ぼくはハッとした。というのも、友人のTくんを思い出したからだ。Tくんはネトウヨになりかけていた。

高校を中退したぼくは大検（高卒認定資格）を取るための塾に通いはじめた。同じように高校を中退した人間や通信制高校の生徒のための塾だった。学校とはちがって生活態度についてとやかく言われない。授業をサボっても何も言われなかった。ぼくも授業にはほとんど出ずに、自習室で大学受験のための勉強をしていた。

そのうち、自習室にたむろしていた、大学進学を目指すグループと仲良くなった。不良や非行に走るほどではないが、まあ、「社会不適合者」の集まりだった。中学校はほとんど登校したことはない。高校に進学できるぐらいには勉強できるが、すぐにやめてしまう。とはいえ、そんな子供を大学に進学させたいと塾に通わせるぐらいには、実家は裕福。ぼく自身も含めて、恵まれた環境にはいるが、どこか社会とはうまくいかない子供たちだった。

塾に通い始めて、ぼくも自習室にそういうグループがいると認識していたが、自分から話しかけることはなかった。怖かったからだ。髪の毛も染めて、ピアスもしていたし、服装も派手だった。Tくんはそのグループのリーダー格で、お兄系（?）っぽい感じだったので、さらに近づきがたかった（ファッションに疎いので間違っている可能性が高いが、とにかく髪がフワッとして長かった）。

塾に通い始めてしばらく経ったころ、Tくんのほうから話しかけてきた。「こいつの話、聞いてや」とTくんのとなりには金髪でピアスをした色白のOくんがいた。

Oくんの話はこうだった。Oくんが自宅で友人と遊んでいた。友人が帰宅したあと、バッグから現金が入った封筒がなくなっていることにOくんの母親が気づいた。経営するクラブの売上金が入っていた。状況から考えて、その友人が犯人に間違いない。Oくんは友人を呼び戻した。「お金を返してくれれば、許してあげる」とOくんの母親が言ったが、友人は「盗んでいない」と言い張るばかり。すると、母親は知り合いの男性に電話をかけた。しばらくすると、恰幅（かっぷく）の良い中年のおっさんがやってきて、友人の前に座った。

「にいちゃんなあ、お金がひとりでトコトコトコトコ歩くわけないんや」

おっさんはテーブルのうえに片手を出して、「トコトコ歩く」という言葉に合わせ、まるで人が歩くように人差し指と中指を動かして、その手を行ったり来たりさせている。なにやってんねや、とOくんがおっさんの手元をよく見ると、小指の先がなかった。友人はすぐにお金を盗んだと白状して、Oくんの母親も許して事件は無事解決した、という話をしてゲラゲラ笑うTくんとOくんをみて、なんて自由な世界なんやとぼくは思ったのだ。

Tくんと最も顔を合わせていたのは、ぼくが大学二回生のころだった。自習室にたむろした面々はそれぞれ大学に進学していたが、生来の社会不適合者ぶりを発揮していた。せっかく国立大学に合格したにもかかわらず、半年たらずで中退してフリーターになったやつがいた。いまは大阪で一番忙しいファストフードのお店で働いているという。「あれほど苦労した受験勉強は一体なんやったんや」とぼくもさすがに思ったが、かくいう自分も大学を休学してひきこもりに戻っていた。中退するつもりで指導教授にサインをもらいに行ったが、親の承諾がないと書けないと拒否されて、休学したのだった。大学にまだ残っていた連中も一般教養の単位が足りずに留年するなど、見事なほどの社会不適合ぶりだった。

Tくんも一浪を経て大学に進学したが、すでにうんざりしていた。そんなTくんには梅田や難波をよく連れ回された。言い忘れていたが、Tくんは超がつくほど金持ちだった。梅田茶屋町の高級マンションに一人暮らしをして、少し歩くとすぐに「タクシー乗ろうや」と言い出す。ファッションには特にお金をかけていて、阪急メンズ館や堀江の服屋を見て回る。宗右衛門町のバーに行ってキャストに酒をおごる。大学生活のつまらなさを散財で憂さ晴らししていた。ひきこもりだったぼくが繁華街を歩けるようになったのは、Tくんに連れ回されたおかげなので、とても感謝している。

Tくんにはかなり奢(おご)ってもらったが、それでも彼の遊びに付き合うには金が必要だった。当時ぼくは自殺願望が強くあった。親が自分の名義で積み立ててくれた定期預金の口座を勝手に解約して、一〇〇万円ちかくの現金を持ち歩き、「この金を使い切ったら、俺は自殺する」とか言っていた。とはいえ、服や酒に使うのではなく、本に散財していた。

ぼくはひきこもりだったので、大きな書店に行ったことがなかった。地元の本屋は潰れていたから、アマゾンで本を買っていた。だから、Tくんに大阪堂島にあるジュンク堂書店に初めて連れて行かれたときは、ここは楽園かと感動したものだ。緑色の買い物カゴをショッピングカートに乗せて、書棚に並ぶ思想書や文学全集を片っ端から放り込んでいく。もう入らないぐらいにカゴを満杯にしてお会計をする。そんな散財をくりかえしていた。これから自殺する人間が本を爆買いするのもおかしいが、いま考えると一種の自傷行為だったと思う。

Ｔくんと仲良くなるきっかけも本だった。思想や政治に興味があって、本をよく読んでいる子だった。とはいっても、右寄りの本が多かった。というのも、Ｔくんはあるテレビ番組の熱心な視聴者だったからだ。『たかじんのそこまで言って委員会』である。

東京では放送されなかった関西ローカルのテレビ番組だから知らない読者も多いと思う。説明すると、日曜日の昼間に放送されていた政治討論番組である。司会は関西で絶大な人気があった歌手でタレントのやしきたかじん。アシスタントにはアナウンサーの辛坊治郎。パネリストとして、三宅久之、金美齢、田嶋陽子、橋下徹、宮崎哲弥、勝谷誠彦、山口もえ、桂ざこば、原口一博、西村眞悟などの各氏が登場して、靖国神社や東京裁判といったテーマを討論するのである。安倍晋三元首相もよく出演していて、たかじんと温泉に入ったりしていた。おわかりのとおり、リベラルが顔をしかめる保守系のテレビ番組である。

『朝まで生テレビ』や『ビートたけしのＴＶタックル』といったほかの政治討論番組とちがって、『そこまで言って委員会』は難しい政治のことはわからなくても、笑って見られる感じにつくられていた。なぜ、そこまで詳しいのかって？ ぼくも高校生のころからよく見ていたからだ。番組で語られる主義主張に共感する、というよりも、エンタメとして楽しんでいた。だって、いい歳こいた大人が大声をあげて怒鳴り合って、ブチギレたり喚いたり泣いたり暴言吐いたり放送禁止用語を連発するんですよ？普通に面白くないですか？　もちろん、そういうふうにアイロニカルに構えて余裕をかますやつが、気づかぬうちにやばい思想に没入する、とよく言われるのだが。

いまでも記憶に残っている放送回がある。たしか死刑制度に賛成か反対かというテーマだった。死刑反対派の人権派弁護士が死刑制度の問題点について話していると、賛成派だった落語家の桂ざこば師匠が「大切な家族を殺してつらい目にあわせたのは誰やねん」とかなんとか叫んで、泣いたことがあった。喜怒哀楽の激しいざこば師匠が感情を爆発させたことに観客は拍手喝采だった。理性的な議論よりも、感情的な物言いが効果を持つ。「大衆」的な感性によって、リベラルの主義主張が相対化されたわけだ。

とはいえ、いまだから、こんなふうに分析できるのだ。ざこば師匠のようなキャラクターがブチギレたり、泣き喚いたりして放つ言葉にはかなりの力がある。死刑賛成のほうに心がぐらっと揺り動かされそうになるのをぼくも感じたのだった。

Tくんも『そこまで言って委員会』の視聴者だった。主義主張に共感することも多かったと思う。保守的な考えを持っていたし、ときどき中国人や韓国人への敵意がポロッと出てきた。ネットに書き込むタイプではなかったが、いま思うとネトウヨっぽい考えに足を突っ込みかけていた。大学がつまらないというのも、リベラルな大学教授にがまんならない、という理由だった。

そして、ある日、Tくんと会うと、「今日大学辞めてきてん」と興奮気味に話してきた。東アジアに関する政治の講義に出席したのだが、その担当教員が中国や韓国を持ち上げて、日本のことを悪く言うので、あまりにむかついて発言したところ、言い争いになってブチギレてそのまま講義室を飛び出した。すっかり大学が嫌になってしまい、中退届を出してきた、と言うのだった。あれほど苦労した受験勉強は一体なんやったんや。

ところで、当時からTくんについて不思議に思っていることがあった。中国人や韓国人へ敵意が出てくることもあるが、実際の在日朝鮮人のひとに接するときは普通だったからだ。塾の自習室にたむろするグループにいた、盗難事件を話してくれたOくんがそうだった。その子もやたらお金持ちで、大学生なのに高級ミニバンのアルファードを乗り回していて、雨が降る御堂筋を通って自宅まで送ってもらったことがあった。なんでもあけすけに話すひとだったから、ぼくも彼の出自を知っていたのだ。

とはいえ、TくんはOくんと普通に仲良い感じだったので、在日朝鮮人の友人がいることと、中国人や韓国人への敵意を持つことが、彼のなかでどう折り合いをつけられているのか、と不思議だった。だから、ネトウヨとして排外主義に走るのはリベラルへのあてつけだという指摘を読んだとき、もしかしたら、Tくんはブチギレた大学教授＝リベラルに反発していたのかもしれない、と思ったのだ。

本当の意味で反社会的なひと

とはいえ、リベラルというよりも、もっと原初的なところで社会自体に反発していたと思う。ぼくもTくんもそうだと思うが、自習室にたむろしていた人たちは、学校的なものがとても苦手なのだ。資格習得のための勉強ならば、いくらでもできる（だから受験勉強は得意である）。ものやサービスを交換するように、こちらの時間や労力と引き換えに、ノウハウやテクニック、知識を教えてもらうだけだ。

たいして、学校教育は内面や人格にまで踏み込んでくる。教育にはよく言えば贈与的なところ、悪く言えば暴力的なところがある。社会にうまく適合できるように、道徳的なふるまいができるように、人々の行動をコントロールしようとする。個人の自由を尊重するリベラルな社会であっても、この点は変わらない。暴力をちらつかせて無理やり強制するだけではなく、「心の底からそうしたい、そうなりたい」とみずから願うように導いていく。「こんなことをすれば、あなたの大事な人はどう思うのか？」と想像させたり、「いまは苦しくても、将来のあなたのためだ」と改心させようとする。ほかに選択の余地のない選択を、あたかもみずから自由に選択したかのようにする。もちろん、そういうふうに生きられれば、この社会では幸せになれるとわかっているが、しかし、どこか耐えがたいところがあって、なるべく自由でありたいとぼくたちは思うのだ。いや、高校までの教育と大学の教育はちがうという人もいるかもしれないが、まあ、似たようなもんだと思う。とくに文学部といった人文系の学問は。

読者を納得させる理屈が思いつかないので、わからなければ感性が違うんだと聞き流してほしいが、「盗人にも三分の理」と言うときの三分の理みたいなものにどうしてもひかれてしまう。遊び人、怠け者、ならず者、不届きもの、タダノリする奴、フリーライダー、ごまかすひと、一貫性がないひと、恩知らず、だらしないやつ、起きられないやつ、座ってられないやつ、働かないやつ、すぐ怒るやつ、すねるやつ、勉強できないひと、粗暴なやつ、モラルがないやつ、努力しないひと、反省しないひと、損得勘定のないやつ、借金を踏み倒すやつ、他人の話をまったく聞かないやつ、逃げるやつ、誠実さがないひと、でたらめをいうひと、不審者……みたいな社会から安心、尊敬、信頼されないひとにどうしてもひかれてしまう。資本主義の恩恵を受けているにもかかわらず資本主義は耐えがたいといい出すクズも好きだし、自分の意見が通らないとなると議論のアリーナ自体をぶっ壊そうとするやつも、まあダメだとは思うけどちょっとひかれる。

誤解しないでほしいのは、いわゆるヤクザといった「アウトロー」にはあまり興味がないのだ。日本で一番大きなヤクザの山口組のトップが、実際に暴力を使うこともあるから「暴力団」という名称は認めたものの、「反社」（反社会的集団）と呼ばれることをすごく嫌がったという話がある。裏社会を仕切っている点で、あくまでも社会の一員として貢献しているわけである。しかも、そういう集団は表の社会に対抗しようとして、社会の悪いところだけを煮詰めたような、もう一つの社会を作ってしまう。オレオレ詐欺の集団にはノルマやタイムカードがあったり、「ブラック企業」顔負けの会社組織となる。

表と裏のどちらの社会からも安心、尊敬、信頼されない人々、本当の意味で反社的なひとに興味があるわけだ。そういう社会から逸脱してしまう人々を社会に連れ戻して適応させる試みにはなんの興味もない。とはいえ、それは別に限られた人の話というわけではない。誰しもそれなりに社会に反発する部分を抱えているが、うまく誤魔化しながら、日々の生活を送っている。そう思っているのだが、どうだろう？

つい先日も大学の先生がこういうことを書いていた。自分の講義に参加する学生たちに向けて。生まれ、ルーツ、民族、人種、性別、ジェンダー、障害にかかわらず、みなさんは教育を受けることができます、いろんな性自認の人もいるから、男性はくん付け、女性はさん付けという区別をやめて全員をさん付けで呼びます、字が読みにくい、声が聞き取りにくい学生にもきちんと配慮した講義をします、日本語が不得手な留学生のためになるべく漢字にはふりがなを振ります……etc.。大学のキャンパスは、あらゆる人を平等に扱って、配慮する、安心で快適なリベラルな社会になりつつある。それはそれで素晴らしいことだと思う（能力によって人々を排除し、選別し、序列をつけて、そして階級をつくり出すけれども）。

ただ、ぼくはそういうところから門前払いを食らったTくんみたいな人間にシンパシーを覚えてしまう。ぼくもそちら側の人間なのだ。おそらくバイアスがある。まあ、バイアスのない人間なんていないけれど。リベラルか、アンチ・リベラルかという二択があれば、アンチ・リベラル側の人間である。強いて言うならば。その意味で、「逆張り」呼ばわりされてもしゃあないな、と自分の人生を振り返って思ったのだった。

とはいえ、いまのアンチ・リベラルのように排外主義に走ったり、女性蔑視に向かうことはまったく肯定しない。というのも、アンチ・リベラルとしての逆張りのあり方はネトウヨや保守であるとはかぎらないからだ。最近の左翼はだらしないから、「リベラル左派」なんて一緒くたにされてしまうが、本当は左翼も立派なアンチ・リベラルである。リベラルは資本主義を認めるが、左翼は否定する。

リベラル＝優等生はいじめる／いじめられるの力関係に敏感である。しかし、優等生／不良の知の力関係には鈍感である。たいして、ネトウヨ＝不良は優等生との知の力関係に敏感である。しかし、いじめる／いじめられるの力関係には鈍感である。この不毛な対立を解決するものとして、左翼はどうだろうか、と考えている。左翼は弱者の味方（＝敵）だし、一九六八年には戦後民主主義的な先生を吊し上げ、リベラルな欺瞞に満ちた大学を解体しようとした実績もある。とはいえ、現状を考えるとほとんど期待できないけれど。

アンチ・リベラルがネトウヨや保守ばかりになるのは、このリベラルな社会に疑問や違和感を持ったとき、パッと手を伸ばした先にあるのが『そこまで言って委員会』みたいなコンテンツばかりだからだ。そして、左派よりも右派的な言説に傾きやすいのは、多くの点で人間の本能に訴えるところがあるからだ

「政治運動は実家の太いやつがするお遊びだ」としばしば言われることがある。しかし、生活に余裕があるやつがしなければ、誰ができるのだろう。生活に余力がなければ、日々のやりくりで精一杯になってしまう。深刻ぶった真面目な顔でモラルのお高い運動をしたところで部族主義的な本能を満足させてるんやから、どうせ同じなら、T君みたいな享楽的な遊び人を魅了できるぐらいに面白おかしく楽しいものであればええのにな、と思ってしまう。

そういえば、Tくんとジュンク堂書店をぶらついていたとき、「なんかおすすめの

小説ないん？」と聞かれたことがあった。とりあえず町田康さんの小説をすすめてみた。次に会ったとき、「電車で読んで笑いが止まらんくなった」という感想をもらった。Ｔくんはすっかりハマってしまい、神戸で町田康さんが講演するというので二人で聴きに行ったりした。

そのあと「もっとほかのおすすめはないん？」と聞かれたので、今度は大江健三郎さんをすすめてみた。「沖縄のやつで訴えられてるやつやろ？」とＴくんは言っていた。当時、日本軍の集団自決への関与をめぐる『沖縄ノート』の記述が名誉毀損だと訴えられていた。「まあまあ、読んでみ」というと、Ｔくんはどハマりしたのだ。『万延元年のフットボール』とか『性的人間』とかだ。大江健三郎さんは戦後民主主義を支持しているけれども、小説にはどうもそういう印象はない。性と暴力が満載だし、やたら原発を爆発させようとする人物が登場する。Ｔくんをひきつけたものはなんだったのだろう、といまだ気になっている。

第7章

「やっぱり東野圭吾が一番」

逆張りとしての批評

メタ視点に立つための「差異化ゲーム」

出版社で働きだしたころ、編集者の先輩とマンガの話をしていたとき、「手塚治虫はまああですね」と言ってしまい、「はあ?」と呆れられたことがある。「一人前に仕事もできないやつが、なんでこんなにえらそうに批評してるんだ……」と唖然とさせてしまったのだ。思い出しただけでも、恥ずかしさのあまり叫びそうになる。

批評しぐさ。ぼくは勝手にそう呼んでいる。「批評家ワナビー」が陥りがちなふるまいだからだ。(「ワナビー」とはなにかに憧れてなりたがっている人のこと、want to be =「〜になりたい」の略語 wanna be に由来する)。人気のある作品や権威のある作家をとりあえずボロクソにこきおろしてみせるのだ。ぼくのまわりでは「○○はぬるい」というけなし方が多かった。「あの小説家、芥川賞もらってから作品がぬるくなった」みたいなことを、批評好きの学生たちの集まりでよく言っていた。ぼくはあいわらず学生気分のままだったから、あんな大それたことを言ったのだろう。

ところで、先日、自分が書いた本の感想をネットで検索していた。ぼくのような書き手でも、長年の読者がいるらしい。どうやらそのひとは、ぼくが学生のときに書いた文章からずっと読み続けてくれている読者だった。ありがたいことである。そのひとの感想が「なんか、綿野さん、昔みたいな鋭さがなくなったなあ」だった。ちょっと悲しい気持ちになったが、まあ、因果応報である。

しかし、どうして人気のある作品や権威のある作家をボロクソにこきおろしていたのか。もちろん、そのひとなりの感性や理論にしたがった結果であれば、それはそれでいいと思う。ただ、どうも、ぼくはこきおろしてみせていたのだ。他人の視線を意識して「〜してみせる」ほうに力が入っていた。

さて、鋭い読者はお気づきだと思うが、これは逆張りである。「逆張りオタク」と言うように人気作品をこき下ろす＝多数派とは逆の道を行くことだからである。たしかに批評には逆張り的なところがある。他人は何か始めるとき、形から入るものだ。批評家ワナビーも批評の表面的な部分をマネしてしまうのだ。とはいえ、このしぐさは批評だけではなく、いろんなところで見られるものだ。

中学生になると小説を読むようになった。好きな作家が何人かできた。しかし、ある時期から、自分の好きな小説家を素直に言えなくなった。もしかしたら、バカにされるんじゃないか、笑われるんじゃないか、と不安になったのだ。

「へー、東野圭吾が好きなんだ（笑）」

「西尾維新みたいな小説を書きたいんだｗｗｗ」

誰もが知っているメジャーな作品を好きだというと、失笑される。大学の文化系サークルに入ると、先輩から最初に受ける洗礼だった。音楽や映画、アニメでも同じだ。サブカルでもオタクでも。逆にあまり知られていない作品を好きと言えば、相手の優位に立てる。「他人とはちがうセンスを持ってますよ」とアピールできるからだ。

これは相手の優位に立つための、差異化ゲームである。多数派とのちがいをいかに示すか。差異化することが競われる。こんなゲームが大学の文化系サークルでよくみられた。コロナ禍でサークル活動が自粛になり、自分の好きなものを堂々と公言する「推し文化」が広がったから、若い読者には馴染みがないかもしれない。いまだと「上から目線」や「マウンティング」（サルがほかのサルに対して交尾の姿勢を取って群れの序列を確認する行為のこと。そこから転じて「言葉や態度で自分の優位性を誇示する」という意味）と言われるだろう。しかし、こんな差異化ゲームはいい歳こいた大人たちもやっていたのだ。

「○○って読んだことある？」「○○って観たことある？」「○○って聴いたことある？」。編集者やライターが出入りする飲み屋でよく聞く言葉だった。○○に入るのは世間一般には知られてなくても押さえておくべき作品だったりする。「いや……読んだことないです」と答えると、「ええっ！」と大げさに驚いてみせるのが、いつものパターンである。残念かな、この業界には、他人の知識を試そうとふっかけてくる人が少なくない。とくに若者や女性がターゲットにされやすい。

むかし勤めていた出版社にも「○○って読んだことがある？」が口癖だったベテラン編集者がいた。めちゃくちゃ教養のある、ミリオンセラーも出した凄腕の編集者だったのだが、そのひとが企画会議で「読んだことある？」を連発するたびにいやな空気になったものだ。しかし、こんな不毛なやり取りにも良い面はある。「いや……読んだことないです」と例のごとく答えたぼくを、ある評論家がこんなふうにたしなめたことがあったのだ。「いまの若いひとは「読んだことない」って素直に答えるよね。ぼくらのころは「読んだことある」って適当に嘘ついて、家に帰ってから必死になって読破したんだよ。そうやって勉強したもんだ」と。

差異なんてすぐに埋められる。先輩の優位なんて相対的なものだ。えらそうなあいつを見返してやると、先輩から教わった小説（夢野久作『ドグラ・マグラ』とか小栗虫太郎『黒死館殺人事件』とか尾崎翠『第七官界彷徨』あたり？）を読破すればいいだけだ。相手の優位を「上から目線だ」「マウンティングだ」と拒否してしまえば、何も学べなくなる。おっしゃるとおり、たしかに教育的な効果はある。

しかし、その一方で、差異化ゲームはどんどん加速する。相対的な差異はすぐに埋められる。だからこそ、ふたたび差異化しようとする。追いつけ、追い越せ、とばかりに競争が激しくなる。サークルのみんながマイナーな作品ばかりを読むようになる。すると先輩はこう言い出すのだ。「やっぱり東野圭吾が一番だよな」と。あえてメジャーな作品を持ち出して、差異化するわけである。

典型的な「逆張り」である。相手の優位に立つための、差異化ゲームにおいて、逆張りはもっとも効果的である。しかし、どこか虚しい感じがしないでしょうか？ 先輩も後輩も文芸サークルに入ったのは小説が好きだからだ。だが、いつのまにか小説は差異化するための道具になってしまう。サークルの先輩も、本当に東野圭吾の小説が好きなわけではなく、「あえて」という自意識でそう言っているだけだ。小説への愛は微塵もなくなっている。

どのジャンルにも同じような構図が出てくる。大ヒット作品に群がるニワカファン、ニワカファンをバカにする古参マニア、ニワカファンをバカにする古参マニアは真のファンではないと大ヒット作品を高く評価してみせる古参マニア、みたいな感じである。

この不毛な差異化ゲームは、気づいたらやってしまう怖さがある。人間は集団の評判をとても気にする動物だ。サークルという狭いコミュニティであっても、良い評判を獲得するために、こんなゲームにいそしんでしまう。とはいえ、一周回ってメジャーな作品を持ち出す程度では、まだまだ逆張りとして「ぬるい」と言わざるをえない。文学談義をしているサークルのメンバーに、「本なんて読まずに恋愛しろよ」と小説を読むこと自体を全否定するぐらいじゃないと、逆張りだとはいえない。

で、実際にこんな感じのうっとうしい先輩がいたわけである。日本の文芸批評の祖と言われる小林秀雄である。

小林秀雄の逆張り芸

小林先輩にはこんな有名な文章がある。

女は俺の成熟する場所だった。書物に傍点をほどこしてはこの世を理解して行こうとした俺の小癪（こしゃく）な夢を一挙に破ってくれた。と言っても何も人よりましな恋愛をしたとは思っていない。何も彼（か）も尋常な事をやって来た。女を殺そうと考えたり、女の方では実際に俺を殺そうと試みたり、愛しているのか憎んでいるのか判然しなくなって来る程（ほど）お互（たがい）の顔を点検し合ったり、惚れたのは一体どっちのせいだか訝り合ったり、相手がうまく嘘をついて呉れないのに腹を立てたり、そいつがうまく行くと却ってがっかりしたり、――要するに俺は説明の煩に堪えない。

――「Xへの手紙」

簡単にいうと「リアルを知りたければ、俺みたいに本を読まずに恋愛しろ」というわけだ。旧制高校の後輩である学生たちのまえで講演したときも、小林先輩はこんなことを言ったらしい。ぼくはけっこうドン引きだが、読者の皆さんはどうだろう。

批評とは何か――という難しい問題はここではおいておく。ごくごく単純化して、作品の良し悪しを判断するのが批評だとしよう。小説や音楽でも、アニメでも映画でも。みずからの批評センスを示す最も効果的な方法は、やはり逆張りである。誰も評価していない作品を真っ先に褒める。その作品がのちに多くの人から傑作と認められれば、批評家の株が上がる。「文壇」や「論壇」といった集団の評判を獲得できるし、ほかの書き手と差異化することでみずからの商品としての価値を高めることができる。ジャーナリズムにおいて「批評」も立派な商品だからだ。こうして相手の優位に立つための、差異化するゲームはどんどんと加速していくわけである。

しかも、批評の文体は独特である。さっき引用した小林秀雄の文章も慣れないとなかなか読みにくい。というのも、文章のロジックだけではなく、そのパフォーマンスも込みで批評だからだ。批評には「咲呵（たんか）」とか「ハッタリ」とか「カマシ」で議論を展開させるところがある。「女は俺の成熟する場所だった」なんてなかなか「カマシ」だし、そのほかにも「批評するとは自己を語る事である、他人の作品をダシに使って自己を語る事である」とか「美しい「花」がある、「花」の美しさという様なものはない」なども有名だ。また、第二次大戦後にみずからの戦争責任に言及されたときには「僕は無智だから反省なぞしない。利巧な奴はたんと反省してみるがいいじゃないか」とまで言い放っている。

同じ言葉をリズミカルに反復させたり、逆説的な物言いをしてみたり。勢いがあって、ビシッと決まっているけれど、何を言っているかさっぱりわからない、みたいな感じではないだろうか。読者への親切な説明がほとんどない。しかし、わかりやすく説明すると、文章がくどくなる。「カマシ」や「咲呵」に必要な勢いをもたせるためには、読者がギリギリ理解できるラインまで、文章を切り詰めなくてはいけない。

批評は相対化も得意である。小林秀雄のデビュー作「様々なる意匠」を見てみよう。当時の最新の思想だったマルクス主義（プロレタリア文学）を「新感覚派」などの文学流派（意匠）と並べて小林は批判している。たとえば、論考の最後にはこんな文章がある。

私は、今日日本文壇の様々な意匠の、少くとも重要とみえるものの間は、散歩したと信ずる。私は、何物かを求めようとしてこれらの意匠を軽蔑(けいべつ)しようとしたのでは決してない。ただ一つの意匠をあまり信用し過ぎない為(ため)に、寧(むし)ろあらゆる意匠を信用しようと努めたに過ぎない。

——「様々なる意匠」

ポイントはマルクス主義を単に批判していることではなく、「あらゆる意匠」のひとつとして批判していることだ。つまり、マルクス主義が唯一の正しい思想ではなく、「様々なる意匠」のひとつにすぎない、と相対化しているわけだ。これまでの思想や文学とくらべて、マルクス主義に絶対的なちがい（絶対的な差異）があるわけではなく、ちょっとしたちがい（相対的な差異）しかない、と相対化することで、「俺はちがいがわかる男なんだぞ」とみずからの立場をさらに差異化するわけである。

とはいえ、そんな差異も相対的なものでしかないから、いずれ追いつかれる運命にある。そこで登場するのが「大衆」である。批評が相対化するときに「大衆」がよく持ち出される。インテリたちがさまざまな主義主張を闘わせているときに、批評家は「おふくろ」（小林秀雄）や「魚屋のおっさん」（吉本隆明）といった「大衆」を持ち出して、議論のテーブルをひっくり返してしまう。たとえば、小林はこんな感じである。

俺は今でもそうである。俺の言動の端くれを取りあげて（言動とはすべて端くれ的である）、俺に就いて何か意見をでっち上げようとかかる人を見るごとに、名状し難い嫌悪に襲われる。和やかな眼に出会う機会は実に実に稀れである。和やかな眼だけが恐ろしい、何を見られているかわからぬからだ。和やかな眼だけが美しい、まだ俺には辿（たど）りきれない、秘密をもっているからだ。この眼こそ一番張り切った眼なのだ、一番注意深い眼なのだ。たとえこの眼を所有することが難かしい事だとしても、人は何故俺の事をあれはああいう奴と素直に言い切れないのだろう。たったそれだけの勇気すら何故持てないのだろう。悧巧そうな顔をしたすべての意見が俺の気に入らない。誤解にしろ正解にしろ同じように俺を苛立てる。同じように無意味だからだ。例えば俺の母親の理解に一と足だって近よる事は出来ない、母親は俺の言動の全くの不可解にもかかわらず、俺という男はああいう奴だという眼を一瞬も失った事はない。

——「Ｘへの手紙」

簡単にいうと、自分の文章を取り上げて論じるインテリよりも俺の母親の方が俺のことをわかっている、というわけだ。

インテリの議論に対して「大衆」を持ち出して相対化すること。これは小林秀雄だけではなく、吉本隆明なども含めて日本の文芸批評の得意技である（もちろん、細かく見れば様々なる批評がある）。じゃあ、大衆って一体なんなのか、という問題については、はっきりと示してくれない。たとえば、吉本隆明は「大衆の原像」という考えで知られているが、「大衆の存在様式の原像」は「どんなに汲みとろうとしても、手の指からこぼれおちてしまうもの」だといっている。

つまり、「俺にも把握できない難しいものなのだ」とか「言葉にすることは不可能だ」としてしまう。そうすると、インテリたちは反論しようにも、一体何なのかわからないのだから、反論しようがない。「カマシ」や「ハッタリ」は根拠をはっきりと示さない。示さないからこそ、自らの言説は相対化されることもなくなり、相手の優位に立つための、差異化ゲームで威力を発揮する（いまでは「大衆」を持ち出す「批評しぐさ」は、「庶民感覚がわかっていない」とか「社会のリアルを知らない」と大学の先生や専門家に食ってかかる「ネット論客」に受け継がれている）。

もちろん、こういった「カマシ」や「啖呵」を丁寧に読んでいくと、小林秀雄の思想みたいなものもわかってくるし、いまもいろんな人が解釈している。しかし、そういった表面的な部分をマネして、「カマシ」や「啖呵」を書きつけただけで、何かを言った気になる「批評家ワナビー」は多いものだ。

批評的な逆張りとは、将来多数派から支持される作品を発見することだった。とはいえ、傑作なんてそんな簡単に見つからない。後世に認められる傑作だけを評価しようとすれば、当然ながら、現在の「文壇」や「論壇」の多数派から支持される作品を、辛辣（しんらつ）に批判することになる（これもまた逆張りである）。

またしても、批評家ワナビーはここだけをマネしてしまう。未来の傑作を発見するよりも、いま人気の作品にいちゃもんをつけて全否定するほうが簡単だからだ。たとえば、「資本主義への抵抗が書かれていない」「女性が書かれていない」といった「○○が書かれていない」という批判が一番簡単だ。書かれたことより書かれてないことのほうが当然多いのだから、このパターンの批判は無限に量産できてしまう。

その結果、「カマシ」や「ハッタリ」と組み合わさって、とくに根拠も示すことなく、えらそうに人気のある作品や権威のある作家を全否定する「批評家ワナビー」ができあがる。「東野圭吾とか村上春樹とか全然面白くない、西尾維新はまだマシかな」とむやみやたらと全否定する先輩、サークルにいませんでしたか？　こうやって「手塚治虫はまあまあですね」とえらそうに批評するぼくが完成したわけである。ちっちゃな頃から逆張りで、15で批評と呼ばれたよ――。

マルクス主義の重しとメタメタメタメタゲーム

批評は相対化することが得意である。だからと言って、小林秀雄や吉本隆明が「どんな主張でもOK」みたいな相対主義者だったわけではない。彼らには絶対的な力を持つ敵がいたからだ。マルクス主義である。当時、マルクス主義は絶対的に正しい「科学」とみなされてきた。ロシア革命が起きたのは一九一七年、ソ連が崩壊したのは一九九一年。マルクス主義は二〇世紀において絶大な影響力を持った。

よく知られた話だが、さっき取り上げた「様々なる意匠」は一九二九年に雑誌『改造』の懸賞論文の二等作になって、小林秀雄が文壇にデビューするきっかけとなった。しかし、小林を抑えて懸賞論文の一等作に輝いたのは、のちにマルクス主義系の文芸批評家として活躍し、日本共産党書記長にのぼりつめる宮本顕治なのである。だから、マルクス主義を相対化することは、いまでは想像できないぐらい大変なことだった。

たとえば、マルクス主義の支持者が別の政治的な立場に変わることを「転向」という。このような転向者はイエス・キリストを裏切ったユダに喩えられた。新約聖書のユダですよ？　大げさすぎると思う読者もいるかもしれないが、マルクス主義はそれぐらいの大きな影響力を持っていた。だから、小林秀雄や吉本隆明が「大衆」とかいろいろ持ち出して、なんとか相対化しようとした試みは、いまの「どっちもどっち」の「相対主義」とは簡単に同一視できないわけである（実際、小林も吉本もマルクス主義の影響をかなり受けている)。

しかし、ソ連が崩壊して、マルクス主義も失墜してしまった。いまもときどきマルクスがリバイバルされるが、やはりかつてほどの影響力はない。このことは「大きな物語」の終焉とも言われる。近代において人々のさまざまな営みは「大きな物語」に支えられてきた。つまり、人間が理性にしたがい、自由で平等な社会をつくりあげて、人類の進歩や幸福を実現する、という「物語」である。マルクス主義も、資本主義的な搾取から人々を解放する、という「大きな物語」のひとつだった。しかし、ポストモダン(近代以後)という時代を特徴づけるのは、このような「大きな物語」に対する「不信」だとされる(実際はもう少し込み入った話なのだが)。

マルクス主義は人間の歴史や世界の状況を一挙に説明してしまう(階級闘争史観)。これを言い換えると、自分自身を含めて世界全体を俯瞰できる視点を持っていた。これを「メタ視点」と呼んでおこう。小林秀雄はマルクス主義というメタ視点を相対化したわけである。しかし、ちょっとやそっとのことでは、マルクス主義の絶対的な優位は揺るがなかった。

しかし、マルクス主義は失墜した。ポストモダンにおいて「メタ視点」はありえない。いや、正確にいうと、絶対的に優位な「メタ視点」がなくなったのである。たとえば、世界全体の状況を一挙に説明する理論は、いまではどうも陰謀論っぽく見えてしまう。東浩紀氏をはじめとして現在の批評がリベラル批判に傾きがちなのは、マルクス主義に代わってリベラルが相対化のターゲットになっているからだろう（もちろん、細かく見れば様々なる批評があるが）。

そうなると、「メタ視点」を奪い合うゲームが起きる。相手の主義主張を相対化することによって、相手よりも優位な「メタ視点」に立っていると示そうとする。たとえば、サークルの先輩は、後輩の好きな小説を鼻で笑い、マイナーな作品を持ち出して、後輩の趣味趣向を相対化する。そうやって、あたかも文学というジャンル全体を俯瞰するメタ視点を持っているかのようにふるまうわけだ。とはいえ、このような「メタ視点」は相対的なものだ。それを保証するのは、わずかな差異でしかない。そんな差異は簡単に追い付かれる。

メタ視点は別のメタ視点によって相対化される。そのメタ視点もさらに別のメタ視点によって相対化される。メタからメタメタへ、メタメタからメタメタメタへ、メタメタメタからメタメタメタメタへ。マルクス主義という絶対的な重しが外れると、メタ視点に立つための差異化ゲームはどんどんと加速していく。「逆張り」につぐ「逆張り」が連発される。このようなゲームのプレイヤーは「あえて」という言葉をよく使う。ベタに「好きだ」と言うと相対化される危険がある。だから、「あえて好きなのだ」と言うことで、「自分のまわりの状況を客観視したうえで好きなんですよ」とメタ視点をアピールする。

どうでしょうか。疲れませんか。この差異化ゲーム。なんか自意識が過剰なんじゃないか、という感じもする。もちろん、批評においてもこんな差異化ゲームは凡庸である、とか、そもそも不毛だという批判は出ていたのだ。

メタゲームを止めてくれる「身体」と「エビデンス」

批評家の東浩紀さんは二〇〇〇年代に配信していたメールマガジンの鼎談(ていだん)で差異化ゲームの問題点について興味深い指摘をしている。ぼくなりに要約して紹介しよう。「思考や解釈のメタゲーム」(メタ視点に立つための、差異化ゲーム)には多くの人がうんざりしている。そのために「思考や解釈のメタゲームを止めてくれるような特効薬」が求められている。そのひとつが、「泣いた」といった「感動」である。たとえば、映画やアニメを見て「これがおもしろい」といった「感想」を述べると、「別の視点もあるでしょう」とツッコミが入る。「感想」はあくまでもミニマムな解釈だから、すぐさま相対化されて「思考や解釈のメタゲーム」が始まってしまう。対して、「泣いた」という「感動」は「身体的な体験」であって、「シンプルで強力な反論不可能なもの」である、と。そして、もう一つ「思考や解釈のメタゲーム」を止めてくれる「特効薬」が、「アルゴリズム」や「工学」的な知である。思考や解釈を主とする人文学やポストモダン思想を毛嫌いして、「自然科学的な言説への無条件的な信頼」としてあらわれている。このようにメタゲームを止めてくれる「シンプルで強力な反論不可能なもの」が「身体レベル」「脳レベル」「工学的なレベル」で出てきている、と。

二〇年近く前の文章だが、いままさにそのとおりになっている。最近では「傷つく」とか「傷ついた」という言葉がよく使われる。「傷つく」も「反論不可能」な「身体的な体験」である。「傷ついた」という「身体的な体験」を他人が解釈すれば、ハラスメントだと言われる。「傷ついた」かどうかを決めるのは当事者だし、その解釈ができるのも当事者だけである。周りの人間に許されるのは、「共感」や「同情」を寄せることだけだ。そこに感情を動員するポピュリズムが組織されるわけである。「自然科学的な言説への無条件的な信頼」とは、いまでいうところの「エビデンス主義」のことだ。もちろん、エビデンスやデータを重視するのはいいことだ。だが、大半の人はデータを調べたり論文を読んだりして物事を判断していない。自分が所属するコミュニティの「常識」を流用しているのがほとんどである。もしくは「遺伝子が――、脳が――」といったそれっぽい話に飛びついたり、プレゼン資料みたいにわかりやすくデザインされたグラフを見て「エビデンス」と言っているだけだ。

また、アニメやマンガの「考察」も「特効薬」に加えていいかもしれない。「考察」は「批評」や「解釈」と似ているように見える。しかし、「考察」は作品における「事実」（伏線）に基づいて、作品の背後に隠された設定や今後の展開を明らかにする。作者が語った意図や狙いも絶対視するので、作者の想定に反するような批評や解釈が許される余地はない。人々が抱いた「感想」や、作者の主張にさえツッコミを入れる批評や解釈はめちゃくちゃ嫌われることになる。

これまで何度か取り上げたが、2ちゃんねる元管理人のひろゆき氏についても「メタゲーム」を止める「特効薬」という点から考えることができる。ひろゆき氏はインターネットの悪影響を主張する論客に「それってあなたの感想ですよね」と反論した（第4章）。相手の主張を「感想」として相対化したわけである。実はこのあと、ひろゆき氏は追い討ちをかけて「なんかそういうデータってあるんですか？」とふたたび批判しているのだ。

たしかに「データ」であれば、「あなたの感想ですよね」と相対化されることはない。相手の主張は相対化しつつ、自分が何か主張するときは、それっぽいデータやエビデンスを持ってくれば、無敵の論破王になれるわけだ。たとえば、ひろゆき氏が、辺野古基地建設に抗議する「座りこみ」を揶揄して炎上した際のツイートで、「『座り込み』／その場に座り込んで動かないこと。／目的をとげるために座って動かない。／知らない間に辞書の意味変わりました？」と辞書に書かれた「定義」（意味）に異様にこだわったのも、「エビデンス主義」に基づくものだといえる。

このように「アンチ・リベラル」としての「逆張り」は、リベラルが隠す「不都合な真実」を暴露する「エビデンス主義」となっている。つまり、「エビデンス」を持ち出してみずからの主義主張が相対化されるリスクを回避しつつ、「リベラル」の主義主張をさかんに相対化するわけだ。

簡単にまとめると、ここ最近のインターネットの学級会は「傷ついた」という「身体的な体験」に基づくポピュリズム（リベラル）と、不都合な真実を暴露する「エビデンス主義」（アンチ・リベラル）が互いに争っている。そして、どちらの陣営からも「批評」や「ポストモダン思想」は嫌われることになったのである。

ぼくも「批評家ワナビー」だったから、メタ視点に立つための、差異化ゲームにいそしんでいた。たとえば、ツイッターで押井守の映画『攻殻機動隊』の感想をつぶやいたら「原作の士郎政宗のマンガを読んでないニワカ」とツッコミが入ったり、ゴダールの映画を観に行ったとつぶやくと「おまえは蓮實重彥が誉めた映画しか見ないのか」と非難されたりした（さすがにこれは理不尽だと思ったけど）。たしかにムッとするが、そういう言葉を手がかりにして、いろんな作品にも手を伸ばしていった。

しかし、ある時期から雰囲気が変わった。ぼくたちは何か大きな出来事があると、その出来事が時代を区分したように思ってしまう。たぶん、何かのバイアスなのだろう。とはいえ、やはり二〇一一年の東日本大震災以降、空気が変わったように思うのだ。メタ視点に立つための、差異化ゲームが敬遠されだした。「逆張り」ぎらいもその一つだろうし、「上から目線」や「マウンティング」という言葉も流行した。

　とはいえ、ゲームは続いている。ぼくたちは集団の評判をとても気にする生き物だ。どうふるまえば、良い評判を獲得できるか。自分の評価を高めるためのゲームは続いている。しかし、ゲームのルールが変わったのだ。たとえば、サブカルチャーが好きな人は差異化ゲームが得意な人が多かった。そもそもサブカルチャーはハイカルチャーに対する「あえて」という差異化から出発しているからだ。しかし、サブカルやオタクとして差異化ゲームに熱中していた人が、どうもここ最近はちがうゲームをやっているなあ、と思っていた。さっきの「考察」もそうだし、政治的な発言が増えているところにもこういうゲームを感じていた。とはいえ、はっきりとしたルールがあるわけでもなく、ノリとか空気みたいなものだから、うまく言い表せなかった。

　ここまで書いてきたことを、もう一〇年来の付き合いになる友人Yさんに話してみた。Yさんはツイッターで知り合った海外文学の研究者である。文学だけでなく、音楽やマンガにも詳しくて、一緒に読書会をやったときはいろんなことを教えてもらった博識なひとである。Yさんからはこんな答えが返ってきた。

「メタ視点に立つための、差異化ゲームが嫌われるなら、その反対では？　ベタ視点に立つための、同一化ゲーム」

あ、忘れてた。逆張りの思考法は、何かを聞いたときその逆を考えることだった。二〇〇〇年代には批評家の東浩紀さんや社会学者の宮台真司さんらが、「メタ」とか「ベタ」とよく言っていた。「メタ」が自分自身を含めて状況を俯瞰するような、距離を取った視点だとすると、「ベタ」とは皮肉なくそのまま文字通りに受け取ること。そこには距離がないから解釈やツッコミが発生する余地がない。「身体的な体験」や「エビデンス」はまさしく「ベタ」なものだ。

たしかに近年流行した思想や運動の特徴は、「ベタ視点に立つための、同一化ゲーム」といえる。「当事者研究」や「聞き書き」「社会学」といった「当事者」の声がそのまま反映されたような言説がもてはやされる。それらの一般書は感傷的な筆致で書かれることも多くて、「泣いた」という「身体的な体験」をもたらしている。政治においても「生活」や「運動」の「現場」の当事者の素朴な「実感」が重視される。これらは「「地べた」の思想」とか言われるが、まさに「ベタ」な思想である。「アイロニー」や「啖呵」といったレトリックは理解されず、文字通りに言葉は受け取られる。

メタ視点から状況を俯瞰する「理論」や「観念」は「言葉遊び」として嫌われ、距離をとること自体が「傍観者」や「冷笑主義」と非難される。もちろん、当事者に完全に同一化できないので、精神的な距離の近さが競われる。つまり、事件、災害、貧困やハラスメントの当事者に感情的に同一化する。「傷ついた」という「身体的な体験」に「共感」や「同情」するポピュリズムが組織される。「理論」に基づいて行動する「党」は存在せず、「感情」を「動員」する「党派」（部族）だけがはびこることになる。「感情だけが絶対に正しい」とか「感情だけは奴らに渡すな」といって、みずからが抱いた感情にも距離を取ることなく、べったりと同一化することになる。

最近では「寄り添う」という言い方がよくされる。辞書を引くと「もたれかかるように、そばへ寄る」（デジタル大辞泉）だが、「相手のがわに立って支えるようにする」（三省堂国語辞典）という意味もあるようだ。いわば、相手の気持ち共感して、精神的な意味で「寄り添う」わけだ。

「心を寄せる」という言い方もちらほら見る。「弱者に心を寄せるケア」や「悩みや苦しみに心を寄せて連帯する」とかだ。「先輩に心を寄せる」（好意を抱く）「音楽に心を寄せる」（関心を持つ、熱中する）という従来の意味（デジタル大辞泉）ではなく、どうも「精神的に寄り添う」とか「心に寄り添う」という意味で使われている。当事者に精神的に近づくことを競い合っているわけだ。

「笑い」がリベラルに嫌われる理由

集団の良い評判を獲得しようと、いろんなプレイヤーが競い合っている。だからダメというわけではない。不毛な差異化ゲームにも教育という効果があった。同一化ゲームにもさまざまな利点はあるだろう。ただ、ゲームが暴走するとやはり不毛な結果をもたらすというだけなのだ。

近年、「道徳感情」がもつ危険性や限界が指摘される。政治的な立場が異なる相手を敵とみなす風潮が強くなったからだろう。たとえば、こんな感じである。リベラルにおいて共感や同情といった「道徳感情」は非常に重視される。しかし、相手に感情的に同一化するのではなく、相手の立場を想像したり、理解することのほうが大切である。というのも、敵（あいつら）よりも味方（われわれ）に共感を寄せる傾向がある。しかも、被害者に感情移入すればするほど、加害者に怒りを感じて、厳しい報復を望んでしまう。だから「シンパシー」と「エンパシー」のちがいを意識すべきである。相手をかわいそうだと感じる「シンパシー」だけでは「かわいそうでない弱者」を生み出してしまう。ではなくて、かわいそうと思わない相手であっても、その立場を想像できる「エンパシー」がいまの社会に必要である、と。みずからの道徳感情に同一化するのではなく、距離を取る必要が説かれている。であれば、嘲笑や冷笑としてリベラルに敬遠されがちな「笑い」を見直してみてはどうか。

ツイッターの良いところは、これまで本を通してしか知らなかった書き手の日常がかいま見えることだった。とはいえ、自分の敬愛してきた書き手が、ほかのネットユーザーとバトルを始めて、「🤪」という顔文字をつけて罵倒しているのを目撃したときは、本当にがっかりした。

「キター――（゜∀゜）――!!」「m９（^Д^）プギャー」といった顔文字や、😂🤣👍😆🙏😘🥰😍😊といった絵文字が発達したのは、インターネットでは会話の意図が伝わりにくいからだと言われている。つまり、顔文字や絵文字は、自分の感情をそのまま表現するのではなく、「自分の発言の意図を示す意図的な手がかり」だという説がある。だから、「🤪」といった絵文字は「あなたのことを嘲笑していますよ」と確実に伝えるサインだったのである🤮

顔文字や絵文字にかぎらず、「（笑）」「ｗｗｗｗ」「ワロタ」「～で草」「ンゴｗｗｗｗ」といった笑いを示す表現はＳＮＳにあふれている。かつて他人を嘲笑するのは２ちゃんねらーの特徴だと言われてきた。たしかに「ネトウヨ」はよく冷笑したり、嘲笑したりする。しかし、どうも最近は２ちゃんねる由来の言葉遣いが広まったせいか、リベラルの一部のユーザーも嘲笑する光景をよく見かける（第６章）。たしかに、笑いには相手を見下して、自分の優位を示すところがある。「政治的部族主義」のために「あいつら」（敵）に優位を示す機会が増えているのだ。

しかし、その割にはどうも「笑い」は「リベラル」の「敵」である「アンチ・リベラル」の特徴だとみなされている。だから、小田嶋さんとトラブった際に、氏から「半笑いで書いている」という非難をいただいたときは、「え、あなたたちリベラルも嘲笑してますやん」と思ったものだ。とはいえ、それとは別のところに、「笑い」という感情がリベラルに疎まれる理由がある。

たとえば、他人に優越を感じたときに、笑いが起きるという説があるが、あまり支持されていないらしい。よく考えてみれば、相手を見下さない笑いなんてたくさんある。数年前も漫才において「他人を傷つけない笑い」が流行したところだ。そうではなくて、笑いという感情が持つ根本的な特徴が、リベラルが重視する道徳感情である「弱者」への「同情」や「共感」と相性が悪いためなのだ。

哲学者のダニエル・デネットらの研究によれば、心の中の知識や信念に不一致を見出したときに、ぼくたちはおかしみを感じて笑いが起きる、という。ぼくたちの脳はたくさんの情報を高速で処理している。ときには不完全な情報のなかで知識や信念を形成している。そのため、どうしても現実との不一致が生じる。その間違った信念に基づいて行動すると、生存が危うくなる。だから、心の中の信念や知識のバグ取りの報酬としてユーモアの情動が生まれた、という説である。そのユーモアの情動という報酬を求めて、コメディやジョークといった笑いの文化を発展させてきた。

たしかに漫才をものすごく単純化すると、観客に次の展開を予測させる「フリ」、その予測を裏切るような「ボケ」、両者の不一致を指摘する「ツッコミ」で構成されている。ただし、ここで重要なのは、不一致を見出したときに否定的な感情が触発されると笑えなくなる、ということだ。「怒り」や「悲しみ」「恥ずかしさ」といったマイナスの感情は、笑いというプラスの感情を押しやってしまう（相手を見下す優越感はプラスの感情なので、プラスの感情同士が掛け合わさって、笑いが増幅される）。

たとえば、テレビではお笑い芸人が身体を張ったゲームをしていたり、ホームビデオに偶然撮影された衝撃映像がよく流れている。トランポリンでジャンプをしてダンクシュートを決めようとしたひとが、勢い余ってバスケットゴールに顔から突っ込んでしまう。ぼくたちは他人がミスや失敗をすると、どうしても笑ってしまう。しかし、その他人に感情的に同一化していた場合、かわいそうだと思って笑えなくなる。

フランスの哲学者アンリ・ベルクソンも笑いについてこんなことを書いている。私たちは自分が愛する人を笑うことがある。しかし、笑うためには「その愛情を忘れ、その憐憫の情を黙らせる必要」がある。というのも、どのような出来事にも「感情の共鳴を引き起こす」ひとは笑いを知ることはないからだ。「無関心な傍観者」となれば、あらゆる出来事は「喜劇」に変わる。「おかしさは、その効果を発揮するために、心情に瞬間的に麻酔をかけるような何ものかを必要とする」のだ、と。「憐憫の情」とは他者のことをかわいそうだと思う気持ちだ。つまり、他者への共感や同情をいったんストップさせないと笑うことができない、というわけだ。

笑うためには怒りや悲しみといったマイナスの感情から距離を取る必要がある。ぼくたちが他人のミスや失敗を笑うのは、自分と他者の間に距離があるからだ。つまり、「傍観者」だからこそ笑えるのである。たいして、自分の失敗はなかなか笑えない。また、フィクションのキャラクターであっても、他者に感情的に同一化すると、その失敗は「かわいそうだ」と笑えなくなる。つまり、「弱者」に寄り添おうとする「リベラル」にとって、「当事者」から距離をとる「笑い」は「敵」になるのである。

しかし、リベラルにおいても「共感」や「同情」といった「道徳感情」が問題視されている。だったら、笑いを活用してみてはどうか。他人を嘲笑するのではなくて、自分自身を笑うことで。たとえば、なかなか笑えない自分の失敗やミスであっても笑う方法がある。ぼくたちは自分の過去の失敗を笑い話にしてしまう。時間の経過によって、いまと過去の自分の間に距離がうまれるからだ。そのときはめちゃくちゃ大変だったとしても、マイナスの感情から自分の身を引き離すことができる。

デネットらの笑いの研究を知ったとき、ぼくは「死刑台のユーモア」や「引かれ者の小唄」と呼ばれる有名なジョークを思い出した。たとえば、月曜日に絞首台に連れていかれる死刑囚が「おや、この週は幸先がいいね」と言ったり、「風邪をひかないように」と首にマフラーを巻いたりする、というジョークである。このジョークに魅了されて、さまざまな思想家が論じてきた（フロイトとか柄谷行人とか）。

「死刑台のユーモア」には人々を元気づけるところがある。笑いによって死の恐怖や絶望といったマイナスの感情を逆に押しやってしまう。「世界はとても危険に見えるけど、実はこんなものなんだよ。茶化してしまえばいいんだよ」とぼくたちを勇気づける。「ベタ」にとらえると悲しい出来事も「メタ」視点からみれば「ネタ」になるわけだ。笑いは自分を支配するマイナスの感情から距離を取ることを可能にする。

もちろん、「傷つく」ことはネタとして相対化できないから「傷つく」ことなのだろう。絶対的な「メタ視点」に立てないというのがポストモダンという時代なのだった。しかし、どうも、このような「反論不可能」な「身体的な体験」も相対化できるのでは――と思ってしまう自分がいるのだ。

第8章

「脳をつけば世界はガラリと変わって見える」

はるしにゃんとケミカルな唯物論

はるしにゃんと「メンヘラ」界隈

二〇一五年の夏に「はるしにゃん」は飛び降り自殺した。ツイッターの「メンヘラ」界隈でめちゃくちゃ人気があった人物だ。メンヘラとはメンタルヘルスの略で精神的に不安定な人を指す蔑称だ。「わたしメンヘラなんですよ〜」と自虐的にもよく使われる。「メンヘラ」界隈はリストカットした血だらけの画像をアップしたり、薬を大量摂取する「オーバードーズ」をしたり、自分自身の精神疾患をネタにしていた。

どういうふうにネタにするのかというと、一番覚えているのは「あずなお」さんという人だ。あずなおさんは精神疾患で障害年金をもらっていたが、自分の障害者手帳をハンバーガーのあいだに挟んで「障害者バーガー」といってかぶりついていた。まあ、ドン引きする読者もいるだろうけど、ツイッターのごく一部には自分のメンタルヘルスをネタにするクラスタがあったのである。

はるしにゃんは「メンヘラ」クラスタからカリスマ的な人気があった。思想や批評の用語をちりばめた文章でアニメを批評したり、「俺の彼女がニーチェだなんて」という哲学系のライトノベルも執筆した。女装したり、ホストクラブで働いたり、同人誌を主宰して文学フリマに出店したり、カフェのプロデューサーとして人文思想系のトークイベントを企画したりした。とはいえ、炎上やトラブルも多かった。たとえば宗教団体のオウム真理教の元幹部上祐浩史氏にインタビューして、大炎上した。さまざまな活動をしていたが、彼も精神的に不安定だった。二〇一五年の夏に飛び降り自殺した。良くも悪くも震災以前のツイッターの雰囲気を色こくまとった人物だった（残されていたツイッターのアカウント@hallucinyanも二〇二一年末に凍結された）。

彼はもともと「はるしな」と名乗っていた。睡眠薬ハルシオンをもじったハンドルネームだ。こちらのほうが馴染み深いので、はるしなくんと呼ばせてもらう。ぼくの手元には講談社のPR冊子『本』二〇〇九年一二月号から二〇一一年四月号がある。「東浩紀論書くなら、これあげますよ」とはるしなくんにもらったものだ。彼は哲学者の東浩紀氏の熱心なファンだったので、のちに『一般意志２・０』として単行本化される連載を購読していた。はるしなくんも「批評家ワナビー」だった。彼のトラブルや炎上の多くはえらそうに他人を否定する「批評しぐさ」が原因だった。

はるしなくんと初めて会ったのは、彼が大学一回生のとき、京都駅八条口ちかくのファミレスのガストで、東浩紀や柄谷行人といった「批評」に興味がある大学生たちが集まったオフ会だった。しかし、その日はほとんど話さなかった。はるしなくんには同じ大学のアニメ批評サークルで知り合った「かいん」くんという友人がいた。かいんくんは明るくて社交的で、オフ会でも積極的に話をしていた。はるしなくんはタバコを吸いながら、ぼくたちの会話を黙って聞いていた。このころはネットでもリアルでもやり取りが多かったのはかいんくんのほうで、はるしなくんはあまり喋(しゃべ)らず、ツイッターにもごくたまにしか現れなかった。読書好きの物静かな青年という印象だった。

二〇一一年、はるしなくんが大学の二回生だった冬に、かいんくんが自殺した。大学にはほとんど通っておらず、単位もぜんぜん取れてない、と話していた。しかし、心を入れ替えて、テスト勉強しようとツイッターのフォロワーにアドバイスをもらっていた。その矢先の出来事だった。こういう言い方はよくないが、もしふたりのうちで自殺するとしたら、いつも憂鬱そうなはるしなくんのほうだと思い込んでいた。

かいんくんのお葬式には出られなかったので、その年の夏休みにご実家にうかがった。はるしなくんとかいんくんは同じ富山県生まれだった。それも仲良くなった理由なのだろう。ちょうど帰省していたはるしなくんと合流して、かいんくんの実家に向かった。「サーフィンが趣味でよく海に連れて行った」とかいんくんのお父さんが話してくれた。しばらくすると、高校の同級生たちが仏壇に手を合わせにやってきた。ツイッターで見せていた一面とは違うかいんくんを見た気がして、「なんかリア充（リアルの生活が充実している人）やな」と帰り道に話したことを覚えている。

その日、はるしなくんのご実家に泊まらせてもらった。トイプードルを抱きかかえたお母さんが出迎えてくれたが、彼の部屋に案内されて、お母さんがいなくなると、「子供たちに嫌われているから、ああやって犬を溺愛するんです」とはるしなくんが言った。家族仲が良くない、とよく語っていたが、ぼくには普通にいい家族のように思えた。そのあと、はるしなくんの妹さんも連れて、近くのスーパー銭湯に行って、フードコートでビールを飲んだ。妹さんの腕にはリストカットの痕があった。

かいんくんが亡くなってから、はるしなくんとよく会うようになった。ぼくを入れて数人のメンバーで、京都でオフ会をした。新京極の映画館で人気アニメ『けいおん！』の劇場版を観たり、祇園四条のレストランキエフでロシア料理を食べたり、鴨川デルタと呼ばれる賀茂川と高野川が合流する三角州で花火をしたりした。東浩紀がどうとか、宇野常寛があだ、とか批評の話をした。ぼくたちは積極的に遊びに誘った。かいんくんの後を追ってはるしなくんが自殺するんじゃないか、と心配していたからだ。

はるしなくんとの個人的な思い出を少し長く書いたのは、彼の変貌ぶりを伝えたかったからだ。物静かな青年だった彼が、女装したり、ホストクラブで働いたり、トラブルや炎上を起こしたりするなんて、当時はまったく想像できなかった。たしかに風変わりなところはあった。映画を観ている最中にずっとスマホをいじったり、ボルシチを食べて「給食みたいな味」と言ったり。でも、まあ、笑って済ませられる範囲だろう。むしろ、花火をしたときなんかは、酔っ払ったぼくが目の前にかかる賀茂大橋にロケット花火を打ち込もうとして、「やめてください！」とはるしなくんに本気で怒られてしまった。

もちろん、人は変わるものだ。けれども、はるしなくんの変わりようは尋常ではなかった。「メンヘラ」界隈で人気者になって、「はるしにゃん」という愛称でまわりに呼ばれるようになった。そして、「はるしにゃん」とみずから名乗り出したころには、「中の人が変わったんじゃないか」という感じだった。亡くなる少し前に「双極性障害」と診断されたらしい。だから、攻撃的になったり、誇大な言動が多くなる「躁状態」だったのかもしれない。しかし、それ以上に、人格それ自体が変わってしまった、と感じていた。

薬のやりすぎで、頭がおかしくなった——とぼくたちは思っていた。初めて会ったころから、はるしなくんはスマートドラッグ（人間の脳の機能や能力を高めるとされる薬）にハマっていた。「これは脳の血流を良くして、集中力を高めるんですよ」と海外から個人輸入したスマドラを見せてもらった。英語が並んだプラスチックボトルにはたくさんの錠剤が入っていて、「本を読んでも、開いたページが映像として記憶されるんです」と得意げに話していた。しかし、もし親友が自殺したことも鮮明に記憶していたら——とぼくたちは心配していたのだった。

スマートドラッグ以外にも、向精神薬、日本では未承認の精神安定剤、なんかあやしい薬まで個人輸入していることは知っていた。薬の影響のせいか、普通でないときがあった。話しかけても曖昧にうなずくだけで、ぼーっとしている。Tシャツを裏返しに着ていても気づかない。自宅の最寄駅に向かう電車が突然わからなくなって、駅のホームで立ち尽くしている。

「精神科で出される薬以外は飲まないほうがいい」と注意しても、「やばいやつもありますが、依存性のないものもある」といろんなドラッグの名前を挙げて反論したり、「ミシェル・フーコーだってLSDを体験しているし、ジル・ドゥルーズも麻薬を評価する文章を書いている」とポストモダン思想を持ち出したり、ティモシー・リアリーやウィリアム・バロウズといったドラッグカルチャーの豊かな歴史を解説してくれるだけだった。

薬をやめる気配もないし、なんか異様に攻撃的にもなった。すると、はるしなくんのことを見てられなくなった。いや、もっと正直に言うと、めんどくさくなった。うっとうしくなった。腹が立ってきた。自殺するかもしれない、というのは余計な心配だったのか、と。そのあと、ぼくのほうから関係を絶った。結果的に見捨てたことになったから、彼を悼む資格はないのだけれど、しかし、かつてのツイッターの雰囲気を象徴するひとだったから、ここに書き残しておく。

鶴見済と滝本竜彦の影響

薬のやりすぎで人格が変わったのではない。むしろ、自分から積極的に人格を変えようとしたのだ。いまふりかえると、そう思う。はるしなくんは鶴見済さんの本をよく読んでいた。鶴見さんの『完全自殺マニュアル』は一九九三年に刊行されてミリオンセラーになった。「もう〝デカイ一発〟はこない」「生きてたって、どうせなにも変わらない」として、さまざまな自殺の方法を網羅した本である。そして、『人格改造マニュアル』では、「生きづらさ」を解決するために薬やサイコセラピーなど人格を変える方法を紹介していた。たとえば、こんな文章がある。

どうしても世界をガラリと変えたければ、方法はひとつしかない。自分が変わることだ。脳をちょっとつついたぐらいでも、世界はガラリと変わって見えたりする。

――『人格改造マニュアル』

人生がつらい。生きるのが苦しい。そうなると、社会を変えるか、自分を変えるか。この二択しかない。社会革命か、脳内革命か。極端な言い方をすれば、こうなる（自分と社会の両方が変わるのがベストだろうけど）。自己啓発書がよく読まれるのも、社会に適応するべく自分を変えたい人が多いからだろう。はるしなくんの場合はドラッグで自分を変えることを選んだのだと思う。

二〇一〇年代は運動の時代だった。はるしなくんがはるしにゃんになったころには、ツイッターの空気もすっかり変わった。二〇一一年に福島第一原発事故が起きて、首相官邸前で脱原発デモがおこなわれた。ＳＮＳを活用した政治運動が注目を集めていた。はるしなくんはその変化も意識していたと思う。

たとえば、鶴見済さんは二〇一二年に刊行した『脱資本主義宣言』では「楽に生きるためにはこの「経済の仕組み」を何とかしないとダメだろう」と生きづらさの原因としてグローバル資本主義を指摘している。そして「生きやすい社会にするためには、まず身の周りから変えて」いく必要があると主張している。ツイッターが社会を変える方向に徐々にシフトしていくなかで、はるしなくんは自分を変える方向にどんどんと先鋭化していった（ようにぼくは思う）。

はるしなくんがもっとも影響を受けていたのは、小説家の滝本竜彦さんだった。たとえば、自分の人生のことを「滝本竜彦の劣化コピーのごとき実存」と呼んでいた。たしかに、はるしなくんの変貌は滝本竜彦さんの変貌をなぞるものだった。彼の小説に描かれるように、モテないひきこもりの青年が、スマドラや合法ドラッグに手を出したり、依存的な恋愛をしたり、ヒーリングやスピリチュアルに傾倒したりしていった。

たとえば、滝本さんの代表作の『ＮＨＫにようこそ！』の冒頭には、ひきこもりの主人公が独白する象徴的な一節がある。少し長いが引用しよう。

この世の中には「陰謀」が存在する。

しかし、他人の口からまことしやかに語られる陰謀は、九十九パーセント以上の確率で、ただの妄想、もしくは意図的な大嘘にすぎない。

本屋に行けばよく目にする「日本経済をダメにしたユダヤの大陰謀！」「宇宙人との密約を隠すＣＩＡの超陰謀！」などという本も、すべてはつまらない単なる妄想である。

だが――

それでも我々人類は「陰謀」が大好きだ。

陰謀。

その甘くせつない響きに、我々はどうしようもなく魅了されてしまうのである。

たとえば、「ユダヤ陰謀論」が作り出される過程を例にとって考えてみよう。

ユダヤ陰謀論を書こうとしている人間は「どうして俺は貧乏なんだ?」「どうして生活が楽にならないんだ?」「どうして俺には彼女ができないんだ?」等々の、ひどいコンプレックスとルサンチマンを抱えている。彼の精神と肉体は、絶えず外部と内部からの圧迫に晒(さら)されている。

そして鬱積(うっせき)する怨念(おんねん)、尽きることのない社会への憎悪。怒り。

しかしそれらの怒りは、そのほとんどが自分自身のふがいなさに由来している。貧乏なのは、自分に金を稼ぐ能力が無いためだし、彼女がいないのは、自分に魅力が無いからだ。だが、その事実を認めて自らの無能さを自覚する作業には、かなりの勇気を必要とする。人間ならば誰しも、自分の汚点を見つめたくはない。

そこで陰謀論者は、自らのふがいなさを外部に投影する。

自らの外に、架空の「敵」を作り出してしまう。

敵。

僕らの敵。社会の敵。

敵がどこかで悪い陰謀を繰り広げているおかげで、俺は幸福になれない。

陰謀のおかげで、俺に彼女ができない。

そう！　悪いのは全部ユダヤ人だったのだ！

ユダヤ人がどこかで悪だくみしているから、俺は幸せになれないのだ！

くそっ、ユダヤ人め！　許さないぞ！

……まったく、ユダヤ人もいい迷惑である。

すべての陰謀論者は、もっと現実を見つめるべきなのだ。

「敵」は外部に存在しない。「悪」は外部に存在しない。あなたがダメ人間なのは、すべてあなたにその責任がある。決してユダヤ人の陰謀ではないし、CIAの陰謀でもないし、当然の事ながら、宇宙人の陰謀でもない。

まずはそのことを、しっかりと肝に銘じて生きていくべきだろう。


——『NHKにようこそ！』

主人公はこんなふうにも述べている。「悪者と戦いたい。〔……〕しかし悪者はどこにもいない。世の中はいろいろと複雑で、目に見えるような悪者など、存在しない。それが辛く、そして苦しい」と。「悪」や「敵」なんて、自分が都合よくつくった

「物語」にすぎない、というアイロニカルで冷めた視線がある。世界に倒すべき「悪」が見出せないなら、結局は自分自身を変えるしかない。スマドラや合法ドラッグ、依存的な恋愛、スピリチュアルやカウンセリングで自分を変えていくしかない。

たいして二〇一〇年代のツイッターは社会を変えようと「敵」を見出す方向に向かった。もちろん、自己責任論を内面化するよりは社会を変えたほうがいいとぼくも思う。けれども、「架空の敵」をこしらえて、陰謀論にハマる人も出てきたのだった。

はるしなくんは滝本竜彦の小説を論じながら、「架空の敵」をこしらえて「陰謀論」にハマる人のことを「2chなどで見受けられるパラノイア的な身振り」と評していた（「滝本竜彦論――超越と内在の涙を見ながら僕らは逃走した」）。たしかにアメリカの国会議事堂襲撃事件で広く知られた陰謀論「Qアノン」は、アメリカの匿名掲示板4chanで誕生したものだった。4chanの設立の背景には日本の匿名掲示板の2ちゃんねるの影響が指摘されている。はるしなくんが指摘するように、二〇一〇年代には「2chなどで見受けられるパラノイア的な身振り」＝陰謀論があらゆるところに見られるようになった。彼が実際に目にすることはなかったけれど。

とはいえ、やっぱりドラッグで自分を変える方向には限界があったのではないか。たしかに、ツイッターの「メンヘラ」界隈は自分の精神疾患をネタにしてまわりから承認されたかったのだと思う。しかし、そのいっぽうで、自分の精神疾患を笑ってみせることで、生きづらさを相対化したい、という抵抗でもあったと思う。だが、自分自身の感情から完全に距離を取れる「メタ視点」なんてなかなか到達できない。たとえ、ドラッグを使ったとしても、だ。

セロトニンとケミカルな唯物論

そのころのツイッターは「メンヘラ」界隈だけでなく、精神疾患に関しては比較的オープンだった。うつ病や統合失調症を患っていると公表するフォロワーも結構いた。パキシル、ジェイゾロフト、デプロメール、レクサプロ、プロザックなどといったＳＳＲＩ（選択的セロトニン再取り込み阻害薬）と呼ばれる抗うつ薬について、「あれは自殺率が高い」と論評しあったりしていた。最近でもＡＤＨＤの治療薬「コンサータ」や「ストラテラ」を服用したことをつぶやくユーザーが多い。

「そんなドラッグや精神安定剤を飲む若者の話をされても……」と戸惑う読者もいるかもしれない。とはいえ、ぼくたちは普段からいろんな物質を摂取して自分の気分をコントロールしている。意識を覚醒するためにコーヒーを飲む（カフェイン）、楽しい気分になるためにお酒を飲む（アルコール）。アルコールは違法薬物よりも依存性が高く最恐のドラッグだと警告する医者もいるぐらいだ。あまりに日常に溶けこんでいるから、忘れているだけなのだ。

当時、ぼくもうつ病ぎみだったので「デプロメール」「デパケン」「ドグマチール」「セルシン」といった薬を飲んでいた。いま思い返すと、繁華街には合法ハーブの店がよくあったし、大学受験のために通った塾にも、アメリカ帰りの帰国子女がいて「向こうの高校ではテスト前になるとみんなスマドラ飲むんすよ〜」と言いながら、錠剤をジャラジャラさせて勉強していた。世間で忌避されがちな薬を摂取することには寛容だったし、ドラッグも身近に存在していた。

そんな当時の空気感を纏っている（とぼくが勝手に思っている）書き手の一人に木澤佐登志さんがいる。ヒッピームーブメントをはじめ、資本主義に対抗するカウンターカルチャーはドラッグと結びついていた。木澤さんは『失われた未来を求めて』という著書でふたたびその可能性を見出そうとしている。木澤さんによれば、ＬＳＤに象徴されるサイケデリクスは資本主義の「外」を見させてくれるものだ。世界が「一貫性と恒常性を伴った、改変しがたい強固なもの」ではなく、「矛盾だらけで可塑性のある、ある種の「壊れやすさ」を伴った世界」であり、「恣意的で偶然的な基盤＝イデオロギーに支えられたシステムに過ぎない」ことを教えてくれるのだ、と。

いいかえると、資本主義の世界が絶対ではない、と相対化する方法としてドラッグの可能性を見ているわけだ。ドラッグが自分を変えるきっかけとなり、それが社会を変革することに結びついていく、というビジョンである。

ただ、ぼくには正直なところ、ドラッグの可能性がよくわからない。理屈としては理解できるが、感覚的にさっぱりわからない。なんという名前だったかは忘れたが、フォロワーから合法ドラッグをいただいたことがあった。白い粉をアルミホイルのうえにのせ、下からライターの火で炙り、煙を逃さないように底を切ったペットボトルをかぶせる。白い煙が充満したところでキャップを外して一気に吸う。なんか体がぐにゃぐにゃして水銀みたいになった……かなあ？　というぐらいで、脳内革命が起きることも、資本主義の外を目撃することも、ぼくにはなかった。言われたとおりにやったはずだが、体質的に合わなかったのだと思う。

　こういう理由もあって、はるしなくんの変貌にはついていけなかったのだが、最近になって自分も彼と同じ時代に生きていたんやな、と気づかされたのだった。

　ＳＮＳでは感情が伝染しやすい。二〇一〇年代のポピュリズムはＳＮＳを活用して、人々の感情を動員しようとした。とはいえ、感情的な判断は認知バイアスの影響を受けやすい。素早く反応できるが、後先のことを考えない。だから、理性的な議論も必要であることを自分のこれまでの本にも書いてきた。しかし、それとは別のところで、「傷ついた」という「身体的な体験」に「同情」や「共感」を寄せる「ポピュリズム」について、なんかちがうなあ、という感じがあったのだ。

　たとえば、「他人を許せない」と怒る人について脳科学的にこんなふうに説明される。他人を道徳的に非難することで、快楽物質であるドーパミンが放出される。快楽に酔いしれて、ドラッグやギャンブルに依存するように、「正義中毒」になっているのだ、と。単なる脳科学的な説明だが、社会正義を訴える人に向かって言えば、利己的な動機を暴露する「シニシズム」の論法となる（第5章）。

とはいえ、ツイッターでは震災を機にドラッグへの依存から正義への依存に変わったのだ、という話をしたいのではない。こういうドーパミン云々みたいな脳科学的な説明をよくやっていたのだ。あのころのツイッターでは。神経伝達物質であるセロトニンが減少すると、不安やうつになる。さっき挙げたパキシルやレクサプロといったSSRIはセロトニンの取り込みを阻害することで、セロトニンを増やす効果がある。だから、うつがひどくてつらいときには、「今日はセロトニンが足りない」と言ったりしたのだ。

自分の感情に支配されて自由にならないからこそ、抗うつ薬や抗不安薬を飲んでいる。しかし、その一方で、いま自分を支配する不安やうつも、結局のところ、セロトニンといった脳内物質の問題でしかなく、薬によってコントロール可能なのだ。いま自分を苦しめる過去の出来事も、結局は脳という物質の問題に過ぎない――ケミカルな唯物論というべき感覚があったのだ。

たとえば、オルダス・ハクスリーの小説『すばらしい新世界』を読んだりすると、胎児は工場で生産されて階級に見合った知能や身体に改造される「ディストピア」であっても、登場人物たちが「ゾーマ」というドラッグを服用して楽しく生きている様子には「幸福な監視管理国家もちょっとありかも」と共感してしまうし、映画『マトリックス』で描かれた「テクノロジーであなたが望む夢の世界で生きられるとしたら、どうするか?」という思考実験についても、「まあ、それはそれでありやな」と思ってしまう。「いやいや、あかんあかん」と思いつつも、これらのＳＦが描く世界観にはリアリティがあった。

二〇〇七年に刊行された伊藤計劃（けいかく）さんの小説『虐殺器官』も、ケミカルな唯物論と言うべき感覚をうまく表現している。特殊部隊の兵士である主人公は、戦場で効率よく殺戮（さつりく）をおこない、トラウマ的な出来事に直面することを避けるために、薬やナノマシンを使った脳医学的処置と心理カウンセリングで「感情調整」をおこなっている。戦闘に臨むときも「痛みを知ることはできるが、感じることができない」という「痛覚マスキング」がされている。痛みや感情がカウンセリングやドラッグでコントロールされる世界を描いているわけだ。

兵士である主人公は戦場で戦うことに「生の実感」を見出していた。しかし、このような世界では、「生の実感」さえもカウンセリングやドラッグで操作されたものではないか、と不安を感じることになる。たとえば、こんな感じである。

死と隣り合わせの戦場で、ぼくは強く意識する――自分がまだ生きているということを。死が傍らにあることでのみ、自らの生を実感することのできる手合い。スリル中毒、アドレナリン依存、なんと蔑(さげす)んでくれてもかまわない。自分が生き延びるために他人の命を奪う。他人を踏みつけにしてでも自分の生存を優先する。その生の実感こそが、ぼくがいまだ戦場にしがみついている理由なのだ。

だが、この殺意がぼくのものでないとしたら。このユダヤ系のカウンセラーと数種類の化学物質がコーディネートした、脳の状態によるものでしかないのだとしたら。この生存への意志は本物なのだろうか。ぼくはいまここにこうやって生きている。そんな喜びは嘘っぱちなのだろうか。

このカウンセリングは、その手法や内容ではなく、存在それ自体によって、いま確実にぼくの存在理由(レゾン・デートル)を脅かしていた。

――『虐殺器官』

いまのテクノロジーでは「脳の状態」を完全にコントロールできない。そんな簡単な方法があれば、はるしなくんをはじめ「メンヘラ」界隈の人たちの多くが死ななかっただろう。とはいえ、ある程度はコントロール可能なのである。

「悲しい」とか「怒り」といったあなたが抱いている感情も、あなた固有のものではなく、SNSという「工学的な知」によってデザインされた環境が引き出したものだ。「泣いた」とか「傷ついた」という「身体的な体験」も結局は脳という物質の問題でしかない。いずれ「工学的な知」によって再現されたり、書き換えられたり、さらにコントロール可能なものとなっていく。

「つらい」といった自分の感情に支配されるからこそ、抗うつ薬を飲んでいたわけだが、いっぽうで、脳という物質の問題でしかないとケミカルな唯物論によって、自分の感情をとらえてしまう。だから、「傷ついた」という「身体的な体験」をめぐって「感情」を「動員」するポピュリズムについて、なんかちがうなあ、と感じてきた。自分の感情から完全に自由になれないが、いったんその感情をカッコでくくって、ちょっと距離を取ったところから、フラットに眺めてしまう。ぼくにとっては、脳内革命も資本主義の外も体験できなかったが、「反論不可能」な「身体的な体験」を相対化させるような「身体的な体験」が、たしかにあのころのツイッターにはあったのだ。

第9章
逆張りは多数派の敵でありつつ、友でなければならない

逆張りにも、逆張りぎらいにも「いま」しかない

逆張りから未来が消えた。この一〇年の変化をひとことでまとめるとこうなる。かつて逆張りは「将来多数意見になる少数意見」だった。何かを聞いたときに、すぐにその逆のことを考える。逆張りの思考法だ。しかし、それは世間の常識に反する「逆説的な真実」を発見するためだった。社会の多数派とは逆のことをすればいい、という単純な話ではなかった。

しかし、逆張りの意味は変わった。社会の良識や常識を嘲笑して、いろんな人の怒りを掻き立てる。炎上狙いの言説が「逆張り」と呼ばれる。そのいっぽうで、大ヒットしたアニメや映画がつまらないと思ったり、日本中が熱狂したサッカーW杯を観戦

しなかったり、社会の多数派のノリになじめない人も「逆張り」と言われる。どちらにも共通するのは、「いま」の「少数意見」でしかないことだ。逆張りからは「未来」が消えた。「いま」しかなくなったのだ。

逆張りはなくなることはない。少なくとも、資本主義が続くかぎりは。商品を差異化するための最も効果的な方法だからだ。資本主義は「自分の少数意見が将来、多数意見になれば報酬を得られる」という仕組みだからである。

あなたがいま読んでいるこの本も商品である。書店に並んだ本を見ると、「市場は残酷やな」といつも思う。総理大臣が書いた本も、殺人鬼が書いた本も、同じ商品として並べられてしまう。権力や権威はいったんカッコに括られて、同じ商品として平等に扱われる。売れるか売れないかという基準しかない。あるタイプの言論を投資手法に喩えている意味で、「逆張り」は言論が商品化されてフラットになったことを象徴する言葉でもある。だから、学術的な権威を持つはずの大学の先生が、気に入らない言説を「逆張り」と罵倒しているのを見ると、ちょっとおかしな感じがする。

良い商品がたくさん購入される。消費者の支持を集める。その一方で、悪い商品は売れずに、自然と淘汰されていく。より良い商品だけが生き残っていく。これが理想の市場というものだ。たとえば、言論という商品においても、ぼくたちがかしこい消費者であれば、より良い言論だけが自然と残るはずである。だが、残念ながら、ぼくたちはそれほど賢明ではないようなのだ。たとえば、エビデンスを通じて世界を正しく認識しようと主張する本（ハンス・ロスリングほか『ファクトフルネス』）と、ウィキペディアのコピペが問題視され、フェイクと批判された歴史本（百田尚樹『日本国紀』）が、一緒に購入されたりする。

これは消費者に知識や教養がないという問題ではない。「ミーム」という考えがある。専門家はそれほど使わなくなったが、文化進化における遺伝子に該当する「自己複製子」である。ぼくたちの模倣をつうじて繁殖（自己複製）する。ミームの代表例として「この手紙を五人に送らなければ、あなたに不幸が訪れる」という「不幸の手紙」が知られる。「不幸な手紙」が恐怖を煽ることで繁殖するように、ミームのポイントは、たとえ事実や真実でなくても、ぼくたちに有害なものであっても、宿主を獲得する優れた特徴があればどんどんと広がる、ということだ。認知バイアスといったぼくたちの認知の脆弱性をうまく利用して、人から人へと拡散していく。ウイルスみたいなものだ。だから、悪い商品は市場からなかなか淘汰されることはない。

もちろん、いまや言論を商品にするために、わざわざ本にする必要もない。人々の注意や関心を集めるだけでお金になる。注意経済である。ぼくたちの「いま」を奪い合う激しい競争が行われている。逆張りは注意や関心をひきつける簡単な方法になってしまった。自分の信じる良識に反する言動を見ると、ぼくたちは「許せない！」と怒ってしまう。非難が殺到して、すぐに炎上する。このように道徳感情を利用して、お金にするわけだ。

注意経済はぼくたちの言論を変化させている。「いま」の注目を集めればいいので、議論が長続きせず、あっという間に次の話題に移ってしまう。当然ながら、話し合うためには時間がかかるものだ。しかし、事件や出来事の詳細がわからない時点で発言する人が増えた。即座にリアクションを取ることが誠実さの証明だと思い込んでいるわけだ。当然、事実を誤認したり、フェイクニュースに引っかかったりする。

また、すぐ次の話題に移るので、議論の蓄積がされない。だから、しばらくすると、似たような話題でふたたび炎上が起きる（たとえば、萌え絵が公共的なポスターになるたびに炎上している）。そのたびに、「車輪の再発明」（すでに確立された技術や考え方をふたたびいちからつくろうとする無駄な行為）のような感じで、はじめから議論はスタートする。で、すぐ次の話題に関心が移ってしまう。議論は深まらないまま、互いの敵対心だけが深まっていく。どうもここ数年ツイッターをしていると、似たような炎上がくりかえされていて、時間が「ループ」している感覚に襲われる。「いま」しかないから、「ループ」するのである。

そして、何よりの問題は「批判」が力を持たなくなったことだ。議論をするうえで、相手の主張の問題点を指摘する「批判」は不可欠だ（罵倒や中傷ではない）。しかし、炎上狙いの逆張りは注意や関心を集めるために「批判」をうまく利用してしまう。批判が殺到する言説であるほど、お金が儲かってしまう。すると、注意経済においては、何か問題のある言説を見かけても、「はいはい、逆張りでしょ」とスルーすることが推奨されることになる。

いっぽうで、そのせいか、自分の気に食わない言説に「逆張りだ」とレッテルを貼ることも増えてきた。インターネットは「いまの自分」としか出会うことはない。過去の履歴からアルゴリズムによって推測された「いまの自分」にピッタリの商品や人間がおすすめされてくる。政治的な立場がちがう人とはつながらなくてもいい。そうなると、いまの自分と似たような「類友」ばかりに囲まれる。そういう空間は快適だし、安心できる。自分自身しかいないからだ。

すると、あたかも自分の考えが多数派や主流派のように思えてくる。自分と考えが異なる他者がたまたま目に入ると、不愉快になる。自分の考えは間違いなのかと不安になる。そんな不快な気持ちをうまく自動処理してくれる言葉が「逆張り」である。「しょせん逆張りでしょ」とレッテルを貼れば、「いまの自分」にとって快適で安心な空間を取り戻せる。

ツイッターは「いま」を「つぶやく」ためのSNSだった。「いまなにしてる？」というキャッチコピーがトップページに表示された。ユーザーたちは「○○なう」

（「いま○○している」「いま○○にいる」という意味）と投稿した。しかし、それぞれの「いま」はもっと多様でバラバラだった印象がある。

ツイッターではユーザーがフォローしたアカウントのつぶやきだけがタイムラインとして表示される。つまり、ユーザーがいま見ているツイッターの画面もバラバラなのだ。だから、ツイッターのユーザーでオフ会をしても、共有できる話題が少なくて話に困った経験がある。そもそも、ツイッターとは「つぶやく」ためのＳＮＳなのだ。独り言のつもりで、もしかしたら誰かの耳に入るかもしれないという感覚で、「つぶやく」のである。共通の前提を必要とする対話や議論に向かないのだ。

いまの出来事について一斉に「つぶやく」ことはそんなになかった。『天空の城ラピュタ』のテレビ放映に合わせて、滅びの呪文「バルス！」をつぶやく瞬間ぐらいだった（もしくは年が明けた瞬間の「あけおめ」「ことよろ」）。ところが、ツイッターではハッシュタグやトレンドといった同じ「いま」を体験させるための機能が増えていった。自分のタイムラインに表示されなくても、炎上している話題がわかるようになった。

二〇一一年以降のツイッターは、同じいまの出来事について、一斉につぶやくことが多くなった。しかし、あいかわらず、ユーザーそれぞれが見ているタイムラインはバラバラなままなのだ。同じ「いま」の出来事を、バラバラの世界から見るわけだ。しかも、自分の見える世界をそのまま受け取って、周りの状況を俯瞰しようとさえしないから、何かをやりとりしたところで、議論するための共通の土台さえつくれないまま、互いの敵対心ばかりが深まっている（最近は裁判沙汰にまで発展するケースが増えた）。

逆張りにも、逆張りぎらいにも「いま」しかないのである。

「いま」自体を相対化できる別の視点を持つこと

編集者として働いていたころ、ぼくが提出した企画はほとんどボツだった。自分の好きな作家の本をつくりたい、という思いしかなかったからだ。消費者に手に取ってもらえる商品にする、という発想がなかった。だから、「書店に並んでいる本を見て企画を考えなさい」と編集長によく言われた。「売れている本を分析して、そのいいところをマネしてみろ」「並んでいる本と比べて、自分の企画のアピールポイントを考えろ」とも言われた。

まあ、簡単にいうと、市場における差異化ゲームの感覚を身につけろ、ということだ。売れている商品を模倣してその差異に追いつけ、ほかの商品との差異をつくりだせ、というわけである。たとえば、ほかの商品とのちがいをつくることを「切り口をつくる」と編集長は表現していた。よくある内容の本でも切り口を変えることで新しい本に生まれ変わる。過去のベストセラーを例にすると、『13歳のハローワーク』や

『大人のぬり絵』とかだ。本来は「大人」（子供）向けと思われているものを、子供（大人）向けに置き換えることで、差異が生まれるわけだ。

ぼくもこのパターンをマネして企画を立てたことがある。ベストセラーになる企画を考えろ、と編集長にきびしく詰められたので。ぼくが考えたのは、小説家の百田尚樹に神風特攻隊の絵本を描かせるという企画だった。当時、百田尚樹の小説『永遠の0』が映画化されて大ヒットしていた。特攻で戦死した主人公の祖父の人生を描いたものだ。だったら、『永遠の0』を絵本にしてみたら、どうでしょう？　右翼や保守のおじいちゃんおばあちゃんがかわいい孫にプレゼントしたくなる絵本。

編集長がリベラルな人だったから、いやがらせとして考えた企画だった。当然実現しなかったが、いま考えても悪夢のような企画だ。アンチになってしまうと、ロクなことにならない格好の例である。ところが、最近、2ちゃんねるの元管理人ひろゆき氏の児童書『よのなかの攻略法　学校編』が発売されて、刊行した出版社が「子供に悪影響をあたえる！」と大炎上していた。まあ、凡庸な人間が思いつくことなんて、ほとんど同じなのである。

たしかに市場をよく見ると、ちょっとちがうけれど、似たような商品ばかりである。「切り口をつくる」と言っても、たいしたちがいはつくれない。すぐに真似され、コピーされて、類似品が出回るようになる。『13歳の○○』とか『大人の○○』という本がありふれているように。追いつけ追い越せの差異化ゲームにおいて、ちょっとしたちがいはすぐに追いつかれる運命にある。だからこその逆張りなのだった。ビジネスにおける「逆張り」とは、いま現在の業界を一変させる革新的なサービスや商品をつくり出すことだった。ちょっとしたちがい、つまり、相対的な差異ではなくて、いわば絶対的な差異をうみだすものだった(絶対的な差異なんて果たして存在するか、という問題は横に置いておく)。

だが、残念ながら、いま「逆張り」と言われる言説の多くは、ちょっとちがうだけの似たようなレベルに留まっている。多数派とさかさまのことを言えば、簡単に差異化できるからだ。賛成といえば、反対。◯といえば、×。マイノリティが弱者だといえば、いやいやマジョリティのほうが弱者だ。女性がつらいといえば、いやいや男性のほうがつらい、と。このようなアンチ・リベラルも「逆張り」と言われる。

だが、よく見ると、アンチ・リベラルが言うことも、リベラルとはちょっとちがうけれど、似たような言説でしかない。「(弱者男性の)社会的包摂」や「(エロの)表現の自由」というように、リベラルで使いまわされる言説の単語を入れ替えただけである。リベラルとアンチ・リベラル。両者の言っていることは真逆だけど、鏡に映ったもの同士みたいによく似ている。だから、逆張りという観点からすると、アンチ・リベラルは「逆張り」として「ぬるい」んじゃないか。ぼくはそう思っている。

もちろん、「逆説的な真実」なんてそのへんに転がっているわけではない。たとえば、そういうタイプの言説は「これまでAと思われていたけど、真実はBだった」というパターンになる。しかし、実際によく見かけるのは「これまで経済恐慌と思われていたけど、真実はユダヤの陰謀だった」みたいな陰謀論ばかりである。ただ、ひとつ確実に言えるのは、「いま」に縛られたままでは「逆説的な真実」は絶対に出てこないし、「逆説的な真実」を言い続けることさえ難しい、ということなのだ。「逆張り」と呼ばれる言説でさえ、ちょっとちがうだけの似たようなレベルに留まるのは、「いま」しかないからだ。「いま」の市場の差異化ゲームなんてすぐに行き詰まる。「いま」の商品とどう差異化するか、を考えるのではなく、「いま」自体を相対化できる別の視点を持つこと。それが「常識を疑う」ということである。たとえば、ピーター・ティール氏や瀧本哲史氏にとっては、「いま」を相対化する視点とは「未来」だったわけである。

そして、「同調圧力」もなかなか強力だ。似たような言説ばかりになる大きな原因である。ぼくたちは社会の多数派に知らず知らずのうちに同調してしまう。とはいえ、多数派だからといって、その主張が正しいとは限らない。だからこそ、多数派の同調圧力に抵抗するために、少数派は結集しようとする。しかし、似たもの同士が集まると、同調圧力に対抗するために、もうひとつ別の同調圧力をつくり上げてしまう。そして、さらなる少数派を抑圧してしまう。

同調圧力に対抗する方法は、徒党を組むことだけではない。「いま」とはちがう時間を生きる必要がある。「未来」という時間を考えれば、同調圧力をなんとか跳ね返せるものだ。これはビジネスの話にかぎらない。「最後の審判」や「終末のとき」を信じる宗教や、いずれ「革命」が到来すると説く左翼も「未来」から「いま」を眺めていた。「いま」を相対化する時間は「未来」だけではなく、「過去」もそうだ。地域やコミュニティの「伝統」から考える保守主義。「伝統」を維持するためには、コミュニティの持続についても考えなければならない。当然ながら、視線は過去からいま、未来へと伸びていく。そして、笑いには「いま」の自分から距離をとる力があった。

とはいえ、「未来」や「過去」はどんどん漂白されて、「いま」しかなくなっている。「笑い」にもきびしい視線が向けられるようになった。たしかにぼくにもそういう感覚はある。やっぱり「最後の審判」や「革命」なんてなかなか信じられない。歴史に必然的な法則があるなんて思えない。どんな犠牲を払っても、必ず報われる、最後の最後に救われる――そんな発想は、物事を因果応報的に見てしまう「公正世界仮説」という認知バイアスだと疑ってしまう。

「伝統」もピンとこない。地域で生まれ育ち、仕事を持って、子供を産み育てている人であれば、もちろん、次の世代への継承も考えざるをえない。しかし、ぼくみたいに大阪から東京、東京から福島へと何度か引っ越して、定職にもつかずプラプラして、子供を持たない独身者となると、「自分が死んだあとの話なんて、どうでもいいや」とやっぱり思ってしまう。「我が亡き後に洪水よ来たれ」という感じだ。まあ、ぼくみたいな人間はともかくとして、たとえ真面目な人であっても「いま」を生き抜くのに必死で、遠い未来のことを考える余裕がない。

本を読む利点は現実逃避できるところだ。ぼくはそう思っている。とはいえ、単に逃げているわけではない。本には未来や過去がある。その過去や未来の視点を通じて、「いま」に対抗するための拠点を持つことができる。だから、いまの常識から過去や歴史の都合のいいところを取り出したり、悪いところを断罪してみたり、いまの自分をそのまま認めてもらいたいならば、本を手に取る必要はない。そもそも本を読んだり書いたりすることは時間がかかる。必然的にいまからズレていく運命にあるからだ。

むかし仕事である詩人に原稿をお願いしたことがあった。しかし、いつまで待っても原稿がこなかった。締め切りの日はとうに過ぎていた。催促のメールを送っても返事がない。明日までに原稿をもらえないと、印刷が間にあわないところまで来ていた。本当にやばい状況だと伝えるために、電話をかけた。電話には出なかった。三〇分ぐらい経って、「原稿がまだ育っていない」と一言だけ書かれたメールが送られてきた。

そのときは「いつ原稿ができるか、目処ぐらい教えろよ」と正直思ったけれど、いまになると「原稿が育つ」感覚はよくわかる。言葉がある一定の量を超えるとコントロールが効かなくなる。ぼくの意思ではどうもできない、自立した「もの」になる。もちろん、実際に書いているのは自分だ。しかし、こっちが絶対に主導権を握れない。植物が成長したり、食べ物が発酵するのと同じように、あっちのスピードに合わせるしかない。ぼくにできるのは手入れをしたり、寝かせたりするぐらいで、基本的には文章が育ってくれるのを待つしかない。

もしかしたら、たくさんの言葉を前にして脳が処理できる情報量をオーバーするために生まれる錯覚なのかもしれない。しかし、そんな錯覚に付き合うのも楽しいものである。しかも、そういうときは一人になれる。いまではスマホが手元にあるかぎり、常に誰かと繋がっている状態である。SNSに文章を書き込めば、すぐにリアクションやレスポンスが返ってくる。とはいえ、それなりの長い文章を手入れするには、たとえ、そこが満員電車でも賑やかな喫茶店でも、一人になって集中する時間が必要となる。そのときはどんな「いま」にも巻き込まれることはない。あなた一人のための「いま」がある。そして、本を読むことも過去や未来を通じてあなたの「いま」をつくることになる。

それぞれのものが持つ固有の時間に付き合わなければ、ものをつくれない。芸術性の低い文章を書いているぼくでさえ、たしかにこんな感覚がある。生活を維持するための労働も、政治を変えるための活動も「いま」の奪い合いに巻き込まれている。同業者の書き手でもユーチューブなど動画配信する人も増えてきた。もちろん、ぼくにとっては文章を書くことは日々の労働であり、社会的な活動でもあるから、「いま」の奪い合いから不利になるけれど、むしろその弱点を逆手にとって「もの」として育っていく固有の時間を生きることも重要だと気づいたのだった。

ほかの人はそうでもないのかもしれないが、ぼくは自分の書いた文章をすぐに忘れてしまう。自分が書いた本についてインタビューされても、「えっ、そんなこと書いてましたっけ」とよく言ってしまう。自分が書いたはずだし、読み返すと書いた記憶もある。けれども、誰かほかの人が書いたように思ってしまう。言葉はいちど書かれると、本当に自立した「もの」になるのだ。

常識をもって常識を制す

ところで、本書のもとになった原稿がほぼ完成して編集者に送ったときに、「そういえば、綿野さんにとっての「逆張り」をうまく表現していたエッセイがむかしありましたよね」と返信が来たのだった。掲載された雑誌は捨てていたので、パソコンから原稿のデータをひっぱり出して、読んでみた。たしかにこれがぼくの「逆張り」の考え方である。編集者に指摘されるまで、まったく意識していなかったが、しかも、それはTくんに勧めた町田康さんの小説について書いた文章だった。

町田康の小説『河原のアパラ』には、フライドチキン店でフォーク並びを勧める男が登場する。それぞれのレジに並ぶと、レジごとに列が進むスピードに差が出る。まずは一列に並んで空いたレジに進んでいくフォーク並びであれば、待ち時間も短く済む。しかし、客はレジの前で「もごもご蝟集するばかり」で、男は「狂人」と見なされ、「邪魔なんだよ、退けよ、馬鹿野郎」と突き飛ばされる。

「順序」へのこだわりは『告白』にも登場する。やくざ者の熊太郎は知人から預かった牛をようじょこ場は「牛が犇いてげしゃげしゃ」になっている。牛の扱いに慣れない熊太郎がようじょこ場を出ようとしたところ、橋のうえで百姓と口論になる。ようじょこ場には牛が新しく入れるスペースの余裕はない。しかも、そこに行くには狭い橋を渡る必要がある。だから、まず出る人間が橋を渡るのを待って、ようじょこ場に入らなければならない。熊太郎が主張するのは、よく知られる電車マナー「降りるひとが先」と同じである。しかし、そのような理屈を解することなく、百姓は橋のうえに突っ立ったままだ。結局、熊太郎は無理やりすれ違おうとして失敗。牛を橋から落として殺してしまう。

「俺はなあ、もっと全体のこと考えとったんや、全体のこと。それをおまえあいつが後先考えんとぐんぐんようじょこ場入ってくるさかいこんなことなんにゃんけ」

町田の小説の登場人物は「げしゃげしゃ」にたいして、「全体」を考え、合理的な「順序」を主張するのだが、その主張はまったく相手にされず、数の力で押し切られてしまう。

最近、鉄道会社がエスカレーターの歩行禁止・両側立ちを推奨している。たしかに歩くひとのために片側を空ける習慣のせいで、乗り口に長い行列ができている。両側に二人ずつ乗るほうが効率的だし、安全でもある。合理的だ。しかし、各社の啓発活動もむなしく、歩行禁止・両側立ちが定着しないのは、町田が小説に描いた現実を見落としているからである。つまり、「全体」を見渡して「げしゃげしゃ」を「順序」付ける存在も、「げしゃげしゃ」のなかのひとりでしかなく、そのような存在は少数派であるために、「げしゃげしゃ」の怒りを買い、排除の対象となる、ということだ。

エスカレーターは絶対に立ち止まる、という友人がいる。片側の空いたスペースに立ち止まると、後ろから登ってきた人間に、舌打ち、押されるなどの嫌がらせを受けるらしい。エスカレーターの両側に二人ずつ乗ることは、それほど労力が必要なことではない。いままで慣れ親しんだ習慣をかえることに抵抗を覚えるのだろう。しかし、新しい行動が多数派に認められ、一度習慣として定着すれば、なぜそこまで抵抗していたのか、と不思議に思うぐらい、簡単なことなのだ。しかし、町田康が描くように、習慣をかえる最初のひとりは「馬鹿野郎」と罵られ、「狂人」と見なされてしまう。

ところで、その友人が、今夏（二〇一九年）の参院選で「左派ポピュリズム」として話題となった政党のボランティアをしたと知ったとき、意外な感じがした。政治学者の水島治郎によれば、ポピュリズムとは、エリートに対する民衆による民主主義的な運動であるとされる（『ポピュリズムとは何か』中公新書、二〇一六年）。エリートにないがしろにされた「「サイレント・マジョリティ」に政治参加の機会を提供する」いっぽうで、「多数派の原則を重視するあまり、弱者やマイノリティの権利が無視される」危険性があるという。意外な感じがした、というのは、エスカレーター少数派の友人がポピュリズムにコミットするとき、片側を空けて立ち続ける多数派の民衆と、どう折り合いをつけるのか、とまず思ったからだった。

『告白』の熊太郎は「理屈にならぬことを言って無理を通し、結果、起きたことに対してなお、ただ騒ぎ立てるだけのようじょこ場の人々」に「おまえらは将来、別のものを俺に払わんとあかんようになるやろ」と啖呵を切り、松永一家十人の惨殺を予告する。「十人斬り」は金と女をめぐる復讐であるが、百姓たちから遊離してしまったゆえの「ローンウルフ型テロ」（組織と関わりない個人による自発的テロ行為）ともいえなくない。

友人がどういう理由で支持を決めたのかはわからない。が、こちらの勝手な想像を許してもらえれば、こう解釈できる。エスカレーターの歩行禁止・両側立ちを習慣化するためには、みずからが実践するほかない。しかし、ひとりでは両側立ちはできないので、協力者が絶対に必要になる。だが、片側の空いたスペースに立ち止まるだけで、あら不思議、エスカレーターを歩く人間を押しとどめるバリケードを築くことができる。そのとき、片側にスペースを空けて立つ多数派は、歩行禁止・両側立ちの習慣化に抵抗する桎梏（しっこく）でありながら、習慣化をすすめる協力者となる。とすれば、友人は少数派にとどまりながら、民衆の非合理性を共犯化し、その非合理な習慣をかえようとしたのかもしれない。ふたりの重度身体障害者が国会議員に選出されたことは、当事者の権利を考えるうえでのぞましい出来事だったが、これまでの慣習に反するという非合理な理由でバッシングを浴びたのだった。

エスカレーター云々はもちろん譬（たと）えである。ポピュリズムが喧伝される時代により重要になるのは少数派のあり方である。

——「フォーク並びとポピュリズム」『群像』二〇一九年一〇月号、一部加筆修正を加えた

いま読み返すと、ポピュリズムに期待しすぎだし、社会の多数派が信じる「常識」を変えるための根拠として「合理性」に頼りすぎな気もする。多数派の常識を変えようとすれば、かならずゴタゴタする。そのゴタゴタを避けるために、いまなら一人でしか利用できないエスカレーターをつくるなど、テクノロジーによって「環境」を変えることでスマートに解決しようとするだろう。

しかし、ぼくは社会の多数派から「馬鹿野郎」と罵られて、「狂人」扱いされる人々にひかれてしまう。熊太郎も遊び人だった。とはいえ、「逆説的な真実」を一人で実現することは難しい。仲間が要る。けれども、馴れ合うと別の同調圧力をつくる危険もある。だから、常識をもって常識を制す必要があるのだ。逆張りは多数派の敵でありつつ、友でもなければならないのである。

あとがき

本書執筆のきっかけは「まえがき」に記したので、ここではちがうことを書こう。

ぼくは「逆張り」呼ばわりされているし、「逆張り」にもそれなりの価値がある、と考えている。しかし、実のところ、逆張りできないタイプの人間なのだ。「空気を読んで、あえて逆の道を行く」なんてほとんどできない。むしろ、まわりの人々に流されやすい。空気を察知して同調してしまう。他人に気遣って気持ちを忖度（そんたく）してしまう。相手に必要ない遠慮をして、自分の意見をあまり述べないし、思いのままに行動できない。逆にいうと、自分が空気に飲み込まれやすいタイプだからこそ、逆張りにひかれるし、まわりが同じことしか言わない状況に拒否反応を示してしまうのだ。

もちろん、自分の意志がないわけではない。まわりに合わせていても、本心は別のところにある。ただ、どうも、無意識に自分を誤魔化しているらしい。自分の本心に気づいたときには、まったく望んでいない状況に置かれている。当然、イライラしてくる。ストレスが溜まってくる。そして、あるとき、耐えきれなくなって爆発してしまう。突然ブチギレて人間関係が破綻する。うつになって身体が動かなくなる。

こちらとしてはがまんにがまんを重ねてきたつもりだ。しかし、まわりの人からすると、普段と変わらず過ごしていたのに、いきなり爆発するワケのわからないやつでしかない。そんな状況になるまえに、自分の本心を打ち明けたりして状況を変えるべく行動すればいいものの、いらん遠慮をして無理してしまう。ずるずると行動を先延ばしにした結果、にっちもさっちも行かない状況に追い込まれている。

思い返すと、ぼくの人生はこのくりかえしだった。いきなり着信拒否して音信不通になって多くの友人を失った。編集者だったころも、すべての仕事をほっぽり出して休職してしまった。高校を中退したときも、こんな感じだった。

高校一年生の冬には学校を辞めたくなって、登校拒否になりだした。とはいえ、そんな簡単に中退なんてできない。「高校ぐらい卒業しろ」というのが世間の常識というものだ（いまのぼくでさえそう言う）。とくに父親は中卒で苦労した人間だったので、高卒という学歴にこだわった。

学校がいやでいやで仕方がなかったが、かといって、ぼく自身に世間の常識から外れた道に進む覚悟があるわけではなかった。まわりの期待を裏切ることを恐れて、面と向かって父親を説得する勇気もなかった。だったら心を入れかえて、学校に行く決心をすればいいものの、やはりいやでいやで仕方がなかった。

高校を卒業するか、辞めるか、という決断をずるずると先延ばしにして、どっちつかずの宙ぶらりんのまま、不毛な高校生活を送った。病気といったなにかしらの理由をつけて学校を休んだ。テストでわざと赤点を取って留年を狙った。修学旅行は任意（自由参加）だから参加しないので金を返せ、と担任につめよった。そして、最終的に高校三年生の夏休みのまえに中退することになったのだ。そこまで続けたんなら、がんばって卒業すればええのに。どうせ中退するんやったら、さっさと辞めればええのに……といまになって思うけど、まわりを気にせずに、自分の欲望にしたがって行動する勇気がなかったのだ。

高校を中退する直前、母親に占いに連れて行かれたことがある。京都の一条戻橋にある晴明神社は、陰陽師（おんみょうじ）の安倍晴明を祀（まつ）る神社なのだが、そこの宮司さんの占いが当たると評判なのだった。実は「綿野恵太」というぼくの名前も、晴明神社の姓名判断でつけてもらった名前だ。そのせいか、むかしからぼくは占いが好きだった。小学生の頃の愛読書は野末陳平『永久保存版　姓名判断――文字の霊が、あなたの運命を左右する』で、友だちの運勢を勝手に占ったりしていた。

　神社に着くと、待合室にはすでに一〇人ぐらいの人がいた。となりの部屋からは「家を新築したいがどうか？」とか「お父さんの病気は治るのか？」といったシビアな話が聞こえてきた。ぼくたちの番になって部屋に通されると、八〇歳ぐらいのおじいさんが白衣に袴をつけて座っていた。ぼくの生年月日と名前を聞くと、筆でサラサラと何か文字を書いた。

「この子がね、学校になじめなくて、高校やめると言って聞かないんです……」と母がさっそく切り出したところ、宮司のおじいさんは「この子は学校続かへん子やな」と言うのだった。そして、「大学には進学できるけど、これもすぐやめますわ」とはっきりと断言したのだった。

　もしかしたら、高校を卒業するように説得してくれるかもしれない。母親にはそんな期待があったのだろう。絶句してしまった母親の表情はいまでも忘れがたい。「せやったら、学校やめへん名前をつけてよ」と思ったにちがいない。いっぽうで、ぼくは高校中退のお墨付きをえて内心喜んでいた。

　さて当時ひきこもりだったぼくが京都までノコノコ出かけたのには理由があった。聞きたいことがあったのだ。母と宮司さんの会話も途切れて、そろそろお暇しようかという雰囲気になったとき、ぼくはおずおずと聞いたのだった。「将来、本にたずさわる仕事がしたいんですが、なれますか？」と。高校生のぼくは小説家になりたかった。けれども「小説家になれますか？」と率直に聞いて、「なられへん」という答えが返ってくるのが怖かった。そして、そんな話をしたことがない親のまえで自分の夢を打ち明けるのも恥ずかしかった。だから、へんに持って回った聞き方をしたのだ。宮司のおじいさんは「なれる」と一言だけ言って、占いは終わった。

もう一〇年近く本にたずさわる仕事をしている。本書はぼくの三冊目の本である。このご時世に本を出せるのはありがたいことだ。だが、実をいうと、しばらくのあいだ、本を書くのをやめようと思っていた。

そもそも、ぼくは自分自身が書きたいことがない人間だと思い込んでいた。本にたずさわる仕事をしているのに、書きたいことがないなんて不思議に思われるかもしれないが、そういう人はけっこういる。ぼくも自分のことを「無」だと思っていた。だったら、もらった仕事をどんどんこなせばいいのだが、いつのまにか自分に求められる役割が苦痛になってきた。そう、また、いつものくりかえしである。

最近気づいたのだが、ぼくは「社会」に興味がないらしい。他人を押し退けてまで「社会はこうあるべきだ」と主張するほど社会にたいする愛がない。むしろ社会から逸脱する人が好きだし、大文字の言葉で社会を語るよりも、もっと具体的で自分本位な文章を書きたいとぼんやり考えていた。せめて実生活以外のところでは、他人に遠慮せずに自由でありたい、とわかったのだ。といっても、世捨て人ではないから、極私的なことを書いたとしても、社会にかかわらざるをえないのだけど。

そんなときに「逆張り」について書く機会をいただいた。さっきの占いの話は「運命は決まっている」みたいなことを言いたいわけではない（ちなみに大学は卒業したので占いはハズれている）。ではなくて、人は生きていると、自分でさえ気づかない本心を言い当ててくれる言葉に遭遇することがある。みずからも知らない欲望を後押しする言葉に。たとえ意識しなくても、そんな言葉を足がかりにして、ぼくたちは自分自身をつくっていく。そして、時が経ってふりかえると、まるで将来の自分を予言したかのように見えてくる。「きみは逆張りくんだねえ」もそんな言葉だったかもしれない。優れた編集者というのは、そういう何気ない一言が言える人間だ。

そんな意味で、本書を執筆する機会を与えてくださった筑摩書房の方便凌さんには感謝している。「もう少し安易に時流に乗ったほうがいいのでは？」とこっちが心配になるぐらいの、逆張り編集者にお声がけいただいたことは、たいへん光栄でした。ありがとうございました。

二〇二三年五月

綿野恵太

主要参考文献

まえがき

・「（耕論）「逆張り」の引力　飯間浩明さん、鳥居みゆきさん、田野大輔さん」『朝日新聞』２０２２年5月28日
https://www.asahi.com/articles/DA3S15307664.html

第1章

・瀧本哲史『僕は君たちに武器を配りたい』講談社、２０１１年
・ピーター・ティール、ブレイク・マスターズ『ゼロ・トゥ・ワン――君はゼロから何を生み出せるか』瀧本哲史日本語版序文、関美和訳、ＮＨＫ出版、２０１４年
・木澤佐登志「イーロン・マスク、ピーター・ティール、ジョーダン・ピーターソン――「社会正義」に対する逆張りの系譜」『現代思想』２０２３年2月号
・瀧本哲史『戦略がすべて』新潮新書、２０１５年
・松谷創一郎「「逆張り炎上屋」が跋扈するネットで『Yahoo!ニュース』が示す姿勢」
https://news.yahoo.co.jp/byline/soichiromatsutani/20160113-00053386
・山本七平『「空気」の研究』文春文庫、１９８３年
・高野陽太郎『日本人論の危険なあやまち――文化ステレオタイプの誘惑と罠』ディスカヴァー携書、２０１９年

・茂木健一郎「空気を読んで、敢えて逆張りする」『茂木健一郎オフィシャルブログ』2017年4月7日
https://lineblog.me/mogikenichiro/archives/8330599.html
・上野千鶴子+北田暁大「「1968」と「2015」のあいだ――安保法案反対運動の新しさと継承したもの」『atプラス26』2015年
・犬山紙子『言ってはいけないクソバイス』ポプラ社、2015年

第2章

・綿野恵太『みんな政治でバカになる』晶文社、2021年
・松尾匡『新しい左翼入門――相克の運動史は超えられるか』講談社現代新書、2012年
・山口裕之『「みんな違ってみんないい」のか？――相対主義と普遍主義の問題』ちくまプリマー新書、2022年
・ピーター・バーガー、アントン・ザイデルフェルト『懐疑を讃えて――節度の政治学のために』森下伸也訳、新曜社、2012年
・小泉義之『哲学原理主義』青土社、2022年
・千葉雅也『意味がない無意味』河出書房新社、2018年
・吉川浩満『哲学の門前』紀伊國屋書店、2022年
・アントニオ・ネグリ、マイケル・ハート『〈帝国〉――グローバル化の世界秩序とマルチチュードの可能性』水嶋一憲、酒井隆史、浜邦彦、吉田俊実訳、以文社、2003年
・アントニオ・ネグリほか『ネグリ、日本と向き合う』三浦信孝訳、NHK出版新書、2014年

第3章

・ジェイソン・ブレナン『アゲインスト・デモクラシー』上下巻、井上彰、小林卓人、辻悠佑、福島弦、福原正人、福家佑亮訳、勁草書房、2022年
・香山リカ『ヘイト・悪趣味・サブカルチャー――根本敬論』太田出版、2019年
・井上達夫『他者への自由――公共性の哲学としてのリベラリズム』創文社現代自由学芸叢書、1999年
・大橋完太郎「解釈の不安とレトリックの誕生――フランス・ポストモダニズムの北米展開と「ポストトゥルース」」リー・マッキンタイア『ポストトゥルース』大橋完太郎監修、居村匠、大崎智史、西橋卓也訳、人文書院、2020年
・千葉雅也『現代思想入門』講談社現代新書、2022年
・リチャード・ローティ『偶然性・アイロニー・連帯――リベラル・ユートピアの可能性』齋藤純一、山岡龍一、大川正彦訳、岩波書店、2000年
・呉智英『賢者の誘惑』双葉文庫、1998年
・本多秋五『物語戦後文学史』下巻、岩波現代文庫、2005年

第4章

・北田暁大『終わらない「失われた20年」――嗤う日本の「ナショナリズム」・その後』筑摩選書、2018年
・北田暁大『嗤う日本のナショナリズム』NHKブックス、2005年
・御田寺圭『矛盾社会序説――その「自由」が世界を縛る』イースト・プレス、2018年
・木澤佐登志「解説」ユリア・エブナー『ゴーイング・ダーク――12の過激主義組織潜入ルポ』西

川美樹訳、左右社、2021年
・吉川徹『日本の分断――切り離される非大卒若者たち』光文社新書、2018年

第5章

・アンスガー・アレン『シニシズム』上野正道監訳、彩本磨生訳、ニュートンプレス、2021年
・「「皮肉屋の天才」はフィクション、本当に知能が高い人は冷笑主義的な見方をしない傾向にある」『GIGAZINE』2020年6月25日
https://gigazine.net/news/20200625-cynical-genius-illusion/
・熊代亨『健康的で清潔で、道徳的な秩序ある社会の不自由さについて』イースト・プレス、2020年
・勝田悠紀「批判の行方」『エクリヲ vol.12』2020年
・リタ・フェルスキ「『クリティークの限界』序論」勝田悠紀訳『エクリヲ vol.12』2020年
・イヴ・コソフスキー・セジウィック「パラノイア的読解と修復的読解、あるいは、とってもパラノイアなあなたのことだからこのエッセイも自分のことだと思ってるでしょ」岸まどか訳『エクリヲ vol.12』2020年
・井上弘貴、渡辺靖「現代アメリカ社会における〈陰謀〉のイマジネーション」『現代思想』2021年5月号
・木澤佐登志「Qアノン、代替現実、ゲーミフィケーション」『現代思想』2021年5月号
・ジョナサン・ゴットシャル『ストーリーが世界を滅ぼす――物語があなたの脳を操作する』月谷真紀訳、東洋経済新報社、2022年
・千野帽子『人はなぜ物語を求めるのか』ちくまプリマー新書、2017年

・津田正太郎「ネットを支配する「シニシズム」「冷笑主義」という魔物の正体」『現代ビジネス』２０１９年12月1日
https://gendai.media/articles/-/68782
・中野信子『人は、なぜ他人を許せないのか？』アスコム、２０２０年

第6章

・伊藤昌亮『炎上社会を考える――自粛警察からキャンセルカルチャーまで』中公新書ラクレ、２０２２年
・ジョシュア・グリーン『モラル・トライブズ――共存の道徳哲学へ』上下巻、竹田円訳、岩波書店、２０１５年
・リチャード・ランガム『善と悪のパラドックス――ヒトの進化と〈自己家畜化〉の歴史』依田卓巳訳、ＮＴＴ出版、２０２０年
・「「忘れられて1カ月ほど経った話題」をツイッターから自動で集めるBotが登場 冷静に考え直す機会に」『ねとらぼ』２０１９年5月8日
https://nlab.itmedia.co.jp/nl/articles/1905/08/news126.html
・安藤寿康『なぜヒトは学ぶのか――教育を生物学的に考える』講談社現代新書、２０１８年
・佐藤俊樹『不平等社会日本――さよなら総中流』中公新書、２０００年
・小谷野敦『すばらしき愚民社会』新潮文庫、２００７年
・ひろゆき『1％の努力』ダイヤモンド社、２０２０年
・橘玲『朝日ぎらい――よりよい世界のためのリベラル進化論』朝日新書、２０１８年
・溝口敦、鈴木智彦『職業としてのヤクザ』小学館新書、２０２１年

第7章

・小林秀雄『Xへの手紙・私小説論』新潮文庫、1962年
・鹿島茂『ドーダの人、小林秀雄――わからなさの理由を求めて』朝日新聞出版、2016年
・吉本隆明「情況とはなにか」『吉本隆明全著作集13』勁草書房、1969年
・蓮實重彦『凡庸さについてお話させていただきます』中央公論社、1986年
・北田暁大、鈴木謙介、東浩紀「リベラリズムと動物化のあいだで」、東浩紀ほか『波状言論S改――社会学・メタゲーム・自由』青土社、2005年
・ジャン＝フランソワ・リオタール『ポスト・モダンの条件――知・社会・言語ゲーム』小林康夫訳、水声社、1989年
・マシュー・M・ハーレー、ダニエル・C・デネット、レジナルド・B・アダムズJr.『ヒトはなぜ笑うのか』片岡宏仁訳、勁草書房、2015年
・ベルクソン『笑い』増田靖彦訳、光文社古典新訳文庫、2016年
・ブレイディみかこ『他者の靴を履く――アナーキック・エンパシーのすすめ』文藝春秋、2021年
・グレッチェン・マカロック『インターネットは言葉をどう変えたか――デジタル時代の〈言語〉地図』千葉敏生訳、フィルムアート社、2021年
・フロイト「フモール」石田雄一訳『フロイト全集19』岩波書店、2010年
・柄谷行人『ヒューモアとしての唯物論』講談社学術文庫、1999年

第8章

・はるしにゃん「滝本竜彦論——超越と内在の涙を見ながら僕らは逃走した」／「メンヘラについて考えるためのちょっとした用語集」ともに『A Mental Hell's Angel』にて公開（現在はリンク切れ）
・南木義隆「私的偉人伝 vol.18 はるしにゃん」『小説すばる』２０１９年9月号
・鶴見済『完全自殺マニュアル』太田出版、１９９３年／『人格改造マニュアル』太田出版、１９９６年／『脱資本主義宣言——グローバル経済が蝕む暮らし』新潮社、２０１２年
・滝本竜彦『ＮＨＫにようこそ！』角川文庫、２００５年／『超人計画』角川文庫、２００６年／『ライト・ノベル』ＫＡＤＯＫＡＷＡ、２０１８年
・木澤佐登志『失われた未来を求めて』大和書房、２０２２年
・オルダス・ハクスリー『すばらしい新世界』黒原敏行訳、光文社古典新訳文庫、２０１３年
・伊藤計劃『虐殺器官』ハヤカワ文庫、２０１０年

第9章

・石戸諭『ルポ　百田尚樹現象——愛国ポピュリズムの現在地』小学館、２０２０年
・綿野恵太「フォーク並びとポピュリズム」『群像』２０１９年10月号

綿野恵太（わたの・けいた）
一九八八年大阪府生まれ。出版社勤務を経て文筆業。詩と批評『子午線 原理・形態・批評』同人。著書に『「差別はいけない」とみんないうけれど。』（平凡社）、『みんな政治でバカになる』（晶文社）がある。

「逆張り」の研究

二〇二三年六月三〇日　初版第一刷発行

著者　綿野恵太
ブックデザイン　鈴木成一デザイン室
発行者　喜入冬子
発行所　株式会社筑摩書房
東京都台東区蔵前二-五-三　〒一一一-八七五五
電話番号　〇三-五六八七-二六〇一（代表）
印刷　三松堂印刷株式会社
製本　牧製本印刷株式会社

ISBN978-4-480-82383-0 C0095